u

uso
de la gramática española
elemental

Francisca Castro

u

Primera edición: 2020

© Edelsa, S.A.
© Francisca Castro Viudez.

Diseño interiores y diseño de cubierta: Carolina García
Maquetación: Estudio Grafimarque
Ilustraciones: Grafitti y 123RF

ISBN: 978-84-9081-621-9
Depósito legal: M-11075-2020
Impreso en España.

Las normas ortográficas seguidas en este libro son las establecidas por la Real Academía Española en su útima edición de la *Ortografía*.

La editorial Edelsa ha solicitado los permisos de reproducción correspondientes y da las gracias a todas aquellas personas e instituciones que han prestado su colaboración.

USO
de la gramática española

Francisca Castro

La organización general de *Uso de la gramática española* es la del *syllabus* gramatical con el que los manuales de ELE suelen articular la progresión del aprendizaje en sus diferentes niveles.

Su objetivo es dar a la gramática la importancia que tiene como medio para obtener competencia lingüística y, al tiempo, mayor confianza a la hora de comunicar.

Los 36 temas de *Uso de la gramática española* -nivel elemental- presentan toda la gramática necesaria para un primer año de español y la trabajan en una serie de ejercicios sistemáticos y graduados.

Cada tema tiene las siguientes partes:

Presentación de los puntos gramaticales, con ilustraciones y cuadros de los modelos.

De este modo, fundamentalmente visual, se recibe una información global, clara y esquemática que servirá como elemento de consulta rápida en cualquier momento del aprendizaje.

Uso, que explica las reglas esenciales de funcionamiento de los puntos gramaticales en situación de comunicación cotidiana, con el apoyo de numerosos ejemplos.
Se ha procurado que el lenguaje esté al alcance de todos los posibles usuarios. Por tanto, se ha utilizado solo la terminología lingüística imprescindible y las explicaciones son muy sencillas en el léxico y en la estructura.

Ejercicios, que reúnen las siguientes características:
- diseño que permite trabajar primero la forma y, a continuación, su uso en el contexto de la frase;
- gradación que va desde las actividades controladas hasta las de producción libre y semilibre en el interior de los temas;
- selección de vocabulario en función de la rentabilidad, la adecuación al nivel y el incremento gradual para su asimilación fácil y completa.

Uso de la gramática española se concibe como un material de trabajo activo, en el aula o en autoaprendizaje.

Como elementos que posibilitan la autonomía del aprendizaje, las páginas de ejercicios tienen espacios asignados para la autoevaluación: al final de cada ejercicio y al final de cada tema para el balance de aciertos. Las claves de estos ejercicios están disponibles de forma gratuita en www.edelsa.es.

También hay ejercicios de práctica libre y semilibre respectivamente. Estos ejercicios no se incluyen en el número de aciertos porque no tienen una solución fija.

La autora

ÍNDICE

Tema 1

U LOS NOMBRES Y LOS ADJETIVOS

El niño es alto y simpático, la niña es baja y rubia.

	Género	
	masculino	femenino
singular	el gato blanco	la gata blanca
plural	los gatos blancos	las gatas blancas
singular	el profesor amable	la profesora amable
plural	los profesores amables	las profesoras amables

(Número)

Uso

1. NOMBRES: EL GÉNERO (MASCULINO Y FEMENINO)

1 Siempre son masculinos los nombres de personas y animales de sexo masculino y son femeninos los nombres de personas y animales de sexo femenino:

- masc.: *el hombre, el caballo, el gato, el profesor*
- fem.: *la mujer, la yegua, la gata, la profesora*

2 Generalmente, los nombres que terminan en -o son masculinos:

- *el cuaderno, el bolso, el libro*

Excepciones:
- *la mano, la radio, la foto, la moto*

3 Generalmente, los nombres que terminan en -a son femeninos.

- *la ventana, la película, la casa*

Excepciones:

- *el problema, el idioma, el tema, el sofá*

4 Hay otros nombres que terminan en consonante o en -e. Pueden ser masculinos o femeninos. Aprende las palabras con su artículo para saber el género.

- *el hotel, el lápiz, la nariz, el camión, la lección, el pie, la clase, la leche*

5 Los nombres referidos a personas o a animales que terminan en -o cambian a -a para hacer el femenino.

- *el maestro – la maestra*

6 Los nombres referidos a personas o a animales que terminan en consonante añaden -a para hacer el femenino.

- *el profesor – la profesora*

2. NOMBRES: EL NÚMERO (SINGULAR Y PLURAL)

1 Los nombres que terminan en vocal añaden -s para hacer el plural.

- *la mesa – las mesas*

2 Los nombres que terminan en consonante añaden -es para hacer el plural.

- *el papel – los papeles*

3. ADJETIVOS

1 Los adjetivos concuerdan en género y número con el nombre al que acompañan. Los adjetivos que terminan en -o cambian a -a para hacer el femenino.

- *el gato (es) blanco – los gatos (son) blancos*
- *la gata (es) blanca – las gatas (son) blancas*

2 Los adjetivos de persona que en masculino terminan en -an, -on, -or, -es añaden una -a para formar el femenino.

- *Un niño japonés - una niña japonesa*
- *Un hombre hablador - una mujer habladora*

3 Los adjetivos que terminan en -e o en -í o en -l, -z, -s, no cambian de forma, son iguales en femenino y masculino.

- *un amigo amable - una amiga amable*
- *un hombre marroquí - una mujer marroquí*

1. Complete con el artículo. Luego, forme el plural del artículo y del nombre.

1. *La mesa (f.)*   *Las mesas*
2. _____ amigo   _____
3. _____ hija   _____
4. _____ profesor   _____
5. _____ niña   _____
6. _____ médico   _____
7. _____ libro   _____
8. _____ hombre   _____
9. _____ cuaderno   _____
10. _____ mano   _____
11. _____ mujer   _____
12. _____ toro   _____
13. _____ vaca   _____
14. _____ foto   _____
15. _____ sofá   _____
16. _____ tren   _____
17. _____ radio   _____

Aciertos: .... de 16

2. Complete el cuadro.

País	Nacionalidad	
	masculino	femenino
1. *Grecia*	*griego*	*griega*
2. Portugal	portugués	_____
3. Corea	_____	coreana
4. Marruecos	marroquí	_____
5. Francia	francés	_____
6. Italia	_____	italiana
7. China	chino	_____
8. Noruega	_____	noruega
9. Alemania	alemán	_____
10. Estados Unidos	_____	estadounidense
11. Japón	japonés	_____

Aciertos: .... de 10

3. Relacione.

1. *La leche*   a. estrechos
2. Las camisas   b. caliente
3. El café   c. grande
4. Los zapatos   *d. fría*
5. La carne   e. naturales
6. Los pantalones f. negros
7. El coche   g. viejas
8. Las flores   h. dura

Aciertos: .... de 7

4. Escriba estas frases en plural.

1. *El tomate es bueno.*   *Los tomates son buenos.*
2. El niño es pequeño.
3. El autobús es rápido.
4. El taxi es cómodo.
5. La niña es inteligente.
6. El profesor es argentino.
7. El gato es negro.
8. La máquina es nueva.
9. El sofá es moderno.
10. El paraguas es antiguo.

Aciertos: .... de 9

5. Escriba el adjetivo de nacionalidad correspondiente.

1. *Gina es (de Italia) = italiana*
2. Wolfgang y Renate son (de Alemania) = _____
3. José y Manuel son (de España) = _____
4. Kioko es (de Japón) = _____
5. Mohamed es (de Marruecos) = _____
6. Françoise y Liliane son (de Francia) = _____
7. John es (de Estados Unidos) = _____
8. Francesco e Isabella son (de Italia) = _____

Aciertos: .... de 7

TEMA 1   TOTAL **aciertos:** .... de 49

Tema 2

EL VERBO *SER*

SER

(yo)	soy
(tú)	eres
(él, ella, usted)	es
(nosotros/-as)	somos
(vosotros/-as)	sois
(ellos/-as, ustedes)	son

Uso

1 Identificar una persona o cosa:

- *Esta **es** Rosa y este **es** Paco.*
- *¿Qué **es** este edificio?*
- ***Es** un museo.*

2 Profesión:

- *Daniel **es** médico.*

3 Nacionalidad / origen:

- *Pilar **es** española; **es** de Granada.*

4 Describir a personas y cosas:

- *¿Cómo **es** tu padre?*
- *Mi padre **es** alto y moreno.*
- *La clase de Biología **es** muy interesante.*

5 Posesión:

- *¿De quién **son** estas llaves?*
- *Las llaves **son** de Manolo.*

Ejercicios

1. Forme frases con el verbo *ser*.

    1. Yo / estudiante.   *Yo soy estudiante.*

    2. Ellos / periodista   _____

    3. María / diseñador   _____

    4. Elena / profesor   _____

    5. Juanjo / cocinero   _____

    6. Nosotros / médico   _____

    7. ¿Usted / fontanero?   _____

    8. ¿Tú / cantante?   _____

    9. ¿Vosotros / diplomático?   _____

    10. Yo / asistente social   _____

    11. Ana / abogado   _____

Aciertos: .... de 10

2. Complete con el verbo *ser* en la forma correcta.

    1. Mis padres son alemanes, pero yo soy español.

    2. Jorge y Montse _____ de Barcelona.

    3. • ¿De dónde _____ vosotros?

       • _____ argentinos.

    4. María _____ alta y morena. Jorge _____ rubio.

    5. Este coche _____ nuevo, pero no funciona.

    6. • ¿Tu madre _____ rubia?

       • No, _____ morena, como yo.

    7. Mis hermanos _____ muy inteligentes.

    8. Nosotras _____ gallegas.

    9. Maribel _____ peluquera.

    10. Mi piso _____ pequeño, pero la cocina _____ grande.

    11. Yo _____ de Madrid y _____ taxista.

    12. • ¿(Tú) _____ española?

       • No, _____ mexicana.

Aciertos: .... de 17

3. Complete con el verbo *ser* en la forma correcta y con una profesión.

abogados	enfermera	médicos	profesor
peluquera	estudiantes	camarero	secretaria

1. *Mis dos hermanos mayores son abogados.*
2. Ana _____ y trabaja en una oficina.
3. Juan trabaja en un bar, _____ .
4. Isabel, Antonio y María trabajan en un hospital, Isabel _____ y Antonio y María _____ .
5. • Yo _____ de español. ¿Vosotros _____ ?
   • Sí, estudiamos en la Universidad Autónoma.
6. Mi amiga Nieves _____ .

Aciertos: .... de 7

4. Subraye la opción correcta.

1. *Los diamantes son caros.*
2. Canadá *soy/eres/es* un país.
3. Todos los gatos no *somos/sois/son* negros.
4. Mi hermana *soy/eres/es* joven.
5. Mi bolso *soy/eres/es* rojo.
6. Ella *soy/eres/es* mi madre.
7. El boxeo *soy/eres/es* un deporte violento.
8. ¿Tú *soy/eres/es* de aquí?
9. ¿Juan y Ana *somos/sois/son* solteros?
10. Esta calle *soy/eres/es* muy larga.
11. Hoy *soy/eres/es* domingo.
12. Yo no *soy/eres/es* rica.
13. ¿Vosotros *somos/sois/son* españoles?
14. Nosotros no *somos/sois/son* estudiantes.
15. Mi piso *soy/eres/es* pequeño.
16. ¿Usted *soy/eres/es* española?
17. ¿Ustedes *somos/sois/son* extranjeros?
18. ¿Vosotros *somos/sois/son* catalanes?
19. Ellos *somos/sois/son* electricistas.
20. Ana no *soy/eres/es* profesora.
21. Yo *soy/eres/es* optimista.

Aciertos: .... de 20

5. Ordene las palabras y forme las frases.

1. clase / es / la / pequeña   *La clase es pequeña.*

2. españoles / no / nosotros / somos   _____

3. mexicanos / mis / son / abuelos   _____

4. azul / es / habitación / mi   _____

5. cubano / es / Rubén   _____

6. no / jóvenes / ellos / son   _____

7. estudiante / mi / es / hermana   _____

8. ¿eres / tú / dónde / de?   _____

9. todas / son / verduras / las / buenas   _____

10. muy / tío / es / guapo / tu   _____   Aciertos: .... de 9

6. Describa nueve cosas cercanas o imagindas y diga sus colores.

azul	marrón	verde	rojo
amarillo	blanco	negro	rosa

1. *Las sillas son marrones.*

2. _____

3. _____

4. _____

5. _____

6. _____

7. _____

8. _____

9. _____

10. _____

TEMA 2   TOTAL aciertos: .... de 64

Tema 3

ESTAR Y HAY

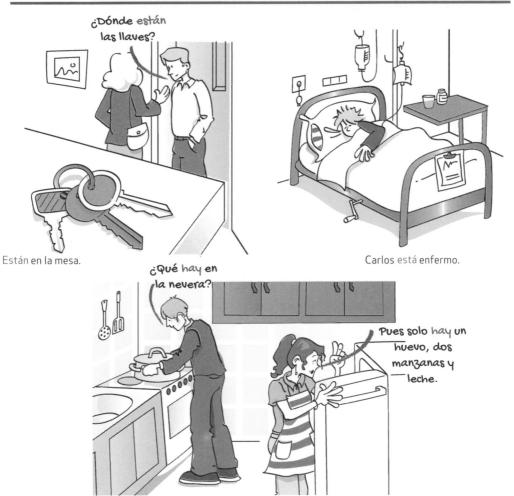

Están en la mesa.

Carlos está enfermo.

Estar	
(yo)	estoy
(tú)	estás
(él, ella, usted)	está
(nosotros/-as)	estamos
(vosotros/-as)	estáis
(ellos/-as, ustedes)	están

Hay	
hay	un libro
	unos libros
	pan
	flores
	mucha gente
	muchos niños

1. EL VERBO *ESTAR*

1 Se usa para hablar de un lugar.

- *Las llaves **están** en la mesa.*
- *¿**Está** tu madre en casa?*

2 Normalmente va con artículos determinados (*el, la, los, las*), nunca con indeterminados.

- *¿**Están** los libros en la mesa?*
- *¿Dónde **está** la mochila?*

3 También puede ir con posesivos (*mi, mis, tu, tus, su, sus, nuestro,-a,-os,-as, vuestro,-a, -os, -as, su, sus*).

- *¿**Está** mi amiga?*
- *Tus hijos **están** en el colegio.*

2. LA FORMA *HAY*

1 Se usa para hablar de la existencia de personas, animales, lugares u objetos.

- *¿**Hay** alguna farmacia por aquí cerca?*
- *Si quieres tomar algo, **hay** refrescos en la nevera.*
- *No **hay** leche para todos.*
- *Mira, allí **hay** un cajero automático.*

2 Normalmente va con artículos indeterminados (*un, una, unos, unas*), nunca con determinados ni con posesivos.

- *En mi barrio **hay** un parque.*
- *Mira, allí **hay** unos policías. Vamos a preguntarles por esta calle.*

3 Puede ir con nombres en plural sin artículo.

- *En mi barrio **hay** parques.*
- *Mira, allí **hay** gente. Vamos a preguntarles por esta calle.*

3. CONTRASTE *ESTAR* Y *HAY*

1 Con el verbo *estar* situamos un lugar determinado o conocido.

- *El Banco Central **está** aquí.*

2 Con *hay* preguntamos o informamos de la existencia de algo o alguien no conocido, o específico.

- *¿**Hay** un Banco por aquí?*
- *Sí, el banco Central **está** allí.*

1. Complete con el verbo *estar* en la forma correcta.

1. Yo *estoy.*
2. Ustedes _____
3. Usted y yo _____
4. Ella _____
5. Vosotros _____
6. Nosotros _____
7. Él _____
8. Tú _____
9. Ricardo y yo _____
10. Usted _____
11. Tu hermana y tú _____
12. Ellos y yo _____
13. Mi madre y Loli _____
14. Él y nosotros _____

Aciertos: .... de 13

2. Complete con el verbo *estar* (lugar) en la forma correcta.

1. Oye, ¿dónde *está* mi abrigo?
2. Los domingos, normalmente, (yo) _____ en casa.
3. Ana, ¿dónde _____ mis llaves?
4. ¿ _____ Juan en casa?
5. Los niños _____ en la habitación.
6. ¿Usted _____ aquí?
7. El gato _____ en el jardín.
8. ¡Julio! ¿Dónde (tú) _____ ?
9. Tus pantalones negros no _____ en el armario.

Aciertos: .... de 8

3. Complete con el verbo *estar* (estado) en la forma correcta.

1. ¿*Estás* (tú) contento con tu trabajo?
2. _____ muy cansada, necesito vacaciones.
3. Los niños _____ muy delgados, no comen nada.
4. La nevera _____ vacía.
5. Ana _____ preocupada porque su padre _____ enfermo.
6. ¿Vosotros _____ bien?
7. Ya (nosotros) _____ cansados de esperar.
8. Esa mesa _____ llena de papeles.
9. ¿(Tú) _____ seguro?

Aciertos: .... de 9

4. Siga el modelo.

1. *Libros / esta biblioteca*　　　*¿Cuántos libros hay en esta biblioteca?*
2. Turistas americanos / este hotel　_____
3. Cines / tu ciudad　_____
4. Alumnos / clase　_____
5. Museos / Madrid　_____
6. Manzanas / nevera　_____
7. Gente / casa　_____
8. Personas / aquí　_____ Aciertos: .... de 7

5. Relacione y forme frases con un elemento de cada columna.

¿Están	flores	en la estantería?
¿Hay	los libros	en el jarrón?
¿Está	mi madre	en la nevera?
	niños	en clase?
	comida	en tu armario?
	un ordenador	en ese parque?
	los pantalones	cerca de aquí?
	la biblioteca	en tu casa?

Aciertos: .... de 7

6. Subraye la opción correcta.

1. *¿Dónde están mis llaves?*
2. No *hay/está* dinero para el pan.
3. • Perdone, ¿*hay/está/están* un banco por aquí cerca?
  • Sí, sí, *hay/está/están* uno en la calle Mayor.
4. Al lado de mi casa *hay/está/están* un supermercado nuevo.
5. • Por favor, ¿dónde *hay/está/están* los servicios?
  • *Hay/Está/Están* al fondo del pasillo, a la derecha.
6. Mañana no *hay/está/están* clase, es fiesta.
7. El teléfono *hay/está/están* allí, al lado de la televisión.
8. ¿*Hay/Está/Están* Juan en casa?
9. En la cocina *hay/está/están* dos armarios, una nevera, una mesa y dos sillas.
10. • ¿Y las niñas?
  • *Hay/Está/Están* en su habitación.
11. ¿*Hay/Está/Están* naranjas?
12. ¿Dónde *hay/está/están* el taller de coches de Pepe?
13. ¿Dónde *hay/está/están* un garaje?

Aciertos: .... de 14

TEMA 3　TOTAL aciertos: .... de 58

LOS POSESIVOS

Uso

1. Los adjetivos posesivos expresan la posesión de algo o una relación entre personas. Van delante del nombre y concuerdan en género y número con la cosa poseída, no con el poseedor.

- ¿**Tu** marido es profesor?
- ¿**Vuestra** madre vive con vosotros?
- No me gustan **tus** zapatos.
- Este es **su** libro, señora, y este es **mi** libro.

Adjetivos posesivos

Un poseedor		Varios poseedores	
Singular	Plural	Singular	Plural
mi (vaso, copa)	mis (vasos, copas)	nuestro (vaso) nuestra (copa)	nuestros (vasos) nuestras (copas)
tu (vaso, copa)	tus (vasos, copas)	vuestro (vaso) vuestra (copa)	vuestros (vasos) vuestras (copas)
su (vaso, copa)	sus (vasos, copas)	su (vaso, copa)	sus (vasos, copas)

Pronombres posesivos

Un poseedor		Varios poseedores	
Singular	Plural	Singular	Plural
(el) mío	(los) míos	(el) nuestro	(los) nuestros
(la) mía	(las) mías	(la) nuestra	(las) nuestras
(el) tuyo	(los) tuyos	(el) vuestro	(los) vuestros
(la) tuya	(las) tuyas	(la) vuestra	(las) vuestras
(el) suyo	(los) suyos	(el) suyo	(los) suyos
(la) suya	(las) suyas	(la) suya	(las) suyas

 Los pronombres posesivos nunca van delante del nombre y concuerdan con la cosa poseída en género y número. Pueden ir con artículo (el, la, los, las) o sin él.

- ¡Ven aquí, hijo *mío*!
- Una prima *mía* está casada con un australiano.
- ¿Este libro es *mío* o *tuyo*?
- Esta taza es *la mía*, ¿dónde está *la tuya*?
- Esta maleta es *mía*. *La suya* es esa.

1. Siga el modelo.

1. *(Yo) / libro*   *Es mi libro; es mío.*
2. (Tú) / gafas
3. (Ella) / falda
4. (Juan) / cartera
5. (Usted) / pasaporte
6. (Tú) / radio
7. (Yo) / mesa
8. (Usted) / hija
9. (Ella) / reloj
10. (Yo) / amigos
11. (Él) / padres

Aciertos: .... de 10

2. Haga lo mismo con varios poseedores.

1. *(Nosotros) / discos*   *Son nuestros discos; los discos son nuestros.*
2. (Vosotros) / coche
3. (Ellos) / moto
4. (Nosotras) / amigos
5. (Vosotras) / pueblo
6. (Vosotros) / hijos
7. (Nosotros) / país
8. (Ellos) / casa
9. (Ellos) / ordenadores
10. (Nosotros) / trabajo

Aciertos: .... de 9

3. Complete con vuestro en la forma correcta.

1. *¿Cómo está vuestro padre?*
2. ¿Cómo están _____ abuelos?
3. ¿Cómo está _____ madre?
4. ¿Cómo están _____ hijas?
5. ¿Cómo están _____ hermanos?
6. ¿Cómo está _____ hijo?

Aciertos: .... de 5

4. Siga el ejemplo.

1. *Yo tengo un perro muy viejo.*   *Mi perro es muy viejo.*
2. ¿Tenéis un coche rojo?
3. Tenéis un jardín muy grande.
4. Tienes un profesor muy simpático.
5. Ella tiene una pulsera de oro.
6. Tenemos unos hijos muy guapos.

7. ¿Tienes una cámara de fotos japonesa? _____

8. Tenemos una piscina nueva. _____

9. Tienen una cocina muy moderna. _____

5. Complete con *mi, mis / tu, tus / su, sus.*

1. *A mí me gusta mi trabajo.*
2. Ana está casada. _____ marido trabaja en un banco.
3. ¿Tú vives con _____ padres?
4. ¿Ellos viven con _____ padres?
5. Juan es médico y _____ mujer, también.
6. Voy a invitar a todos _____ amigos a la fiesta.
7. Gracias por _____ regalo, Luis. Me gusta mucho.
8. Sra. Colón, ¿dónde está _____ hijo?
9. Tengo dos hermanas y viven con _____ padres.
10. Todos los padres quieren a _____ hijos.
11. Sr. Izquierdo, le llama _____ esposa por teléfono.
12. Esto es para Alicia. Por favor, ¿puedes ponerlo en _____ mesa?
13. Hola, Sr. Castro, ¿qué tal están _____ hijos?

Aciertos: .... de 12

6. Complete con *nuestro o vuestro en la forma correcta,*

1. *Teresa y yo somos hermanas, vivimos con nuestra madre.*
2. Hola, chicos, ¿qué tal?, ¿cómo están _____ padres?
3. A mi marido y a mí nos gusta _____ país.
4. María y Rosa, ¿y si recogéis ya _____ juguetes?
5. ¿Es bonito _____ pueblo?
6. No, señor, este perro no es _____ ; es del vecino.
7. _____ casa es más grande que la _____
8. ¿A _____ hijos les gusta leer?
9. _____ problema principal es el dinero, ganamos poco.

Aciertos: .... de 9

7. Subraye la forma adecuada.

1. *¿Dónde están mis gafas?*
2. Este es *mío / mi* padre.
3. ¿Cómo están *suyos / sus* hijos, Sr. López?
4. ¿Estos calcetines son *tuyos / tus*?
5. Este reloj no es *mío / mi*, es *tuyo / tu*.
6. • ¿De quién es este coche? • Es *mío / mi*.
7. María, ¿dónde están *míos / mis* guantes?
8. La *mía / mi* es más bonita que la *tuya / tu*.

Aciertos: .... de 9

TEMA 4 TOTAL aciertos: .... de 62

Tema 5

EL PRESENTE REGULAR

Solo una pregunta, ¿dónde vivís?

Vivimos en Sevilla.

En español hay tres grupos de verbos, según la terminación del infinitivo: **-ar, -er, -ir.**

Verbos regulares: presente

	Trabajar (-ar)	Beber (-er)	Vivir (-ir)
(yo)	trabajo	bebo	vivo
(tú)	trabajas	bebes	vives
(él, ella, usted)	trabaja	bebe	vive
(nosotros/-as)	trabajamos	bebemos	vivimos
(vosotros/-as)	trabajáis	bebéis	vivís
(ellos/-as, ustedes)	trabajan	beben	viven

Uso

1 El presente se usa para dar información general:

- *El banco **abre** a las 8.30.*
- *Dos y dos **suman** cuatro.*
- *Yo **vivo** en Madrid.*

2 Para hablar de cosas que hacemos habitualmente, o con cierta frecuencia:

- *En mi casa **comemos** pronto.*
- *Los sábados también **trabajo**.*

3 Para dar instrucciones:

- *Para hablar por teléfono, primero **levantas** el auricular, luego **metes** la moneda o la tarjeta.*

4 Para hablar del futuro:

- *En junio **termino** el curso.*
- *Mañana nos **vemos**.*

Ejercicios

1. Complete las frases con los verbos en la forma correcta.

1. ¿Dónde *vives*? *(vivir, tú)*
2. ¿Dónde _____? *(trabajar, tú)*
3. Yo no _____ muy bien español. *(hablar)*
4. Nosotros no _____, ¿vosotros _____? *(bailar, bailar)*
5. Yo _____ inglés. *(estudiar)*
6. Las niñas _____ muy bien *(cantar)*.
7. ¿_____ normalmente música *clásica*? *(Escuchar, vosotros)*
8. Mis padres _____ en Ohio. ¿Dónde _____ los tuyos? *(vivir, vivir)*
9. ¿Usted _____ aquí? *(trabajar)*
10. Nosotras siempre _____ en un restaurante. *(comer)*
11. ¿Vosotras no _____ la televisión todos los días? *(ver)*
12. ¿_____ francés? *(Hablar, usted)*
13. ¿Ustedes ya _____ bien español? *(hablar)*
14. Mi hija _____ en verano de 8:00 a 15:30. *(trabajar)*
15. Las tiendas no _____ hasta las 9:00. *(abrir)*
16. María _____ muchas cartas a su familia. *(escribir)*
17. ¿Usted _____ poesía desde niño? *(escribir)*
18. Los niños _____ leche. *(beber)*
19. ¿_____ mucho? *(trabajar, vosotros)*
20. Todos los días, después de la clase, Tomás _____ la lección y _____ los ejercicios. *(estudiar, repasar)*

Aciertos: .... | de 22

2. Complete las frases con un verbo en la forma correcta.

| vender **estudiar** bailar comer cambiar |
| leer entrar practicar mirar vivir |

1. ¿Ellos *estudian* en la universidad?
2. ¿(Usted) _____ flamenco?
3. Mi jefe _____ poco de opinión.
4. En este supermercado, siempre _____ barato.
5. ¿A qué hora _____ en clase (tú)?
6. ¿Qué _____ (vosotros) por la ventana?
7. ¿Usted _____ algún deporte?
8. Yo _____ solo en un apartamento.
9. Los domingos nosotros siempre _____ el periódico.
10. Mis hijos _____ mucho.

Aciertos: .... | de 9

Ejercicios

3. En las frases siguientes diga si se expresan instrucciones, futuro o acciones habituales.

> 1. *Pepe viene a verme todas las tardes.*
>   *Acción habitual*
> 2. Los domingos comemos en un restaurante.
>   ☐ Acción habitual.   ☐ Instrucciones.   ☐ Futuro.
> 3. El jueves no hay clase, es fiesta.
>   ☐ Acción habitual.   ☐ Instrucciones.   ☐ Futuro.
> 4. Para ir al cine, si toma la segunda a la derecha, llega antes.
>   ☐ Acción habitual.   ☐ Instrucciones.   ☐ Futuro.
> 5. Ellos no leen ningún periódico.
>   ☐ Acción habitual.   ☐ Instrucciones.   ☐ Futuro.
> 6. Mañana canta Plácido en el Palacio de la Música.
>   ☐ Acción habitual.   ☐ Instrucciones.   ☐ Futuro.

Aciertos: .... de 5

4. Relacione las dos columnas y escriba un párrafo sobre Pablo.

1. Pablo	a. en el comedor del instituto.
2. Trabaja	b. casado.
3. Está	c. es profesor de dibujo.
4. Vive en	d. cenan con sus amigos.
5. Todos los días come	e. la calle Mayor, 14.
6. Su mujer	f. trabaja en un hospital. Es médica.
7. Elena	g. se llama Elena.
8. Los sábados	h. en un instituto de secundaria.

> *Pablo es profesor de dibujo,*
> _____
> _____
> _____
> _____
> _____
> _____
> _____

Aciertos: .... de 7

TEMA 5   TOTAL aciertos: .... de 43

Tema 6

EL PRESENTE IRREGULAR

1. Verbos que cambian las vocales

I	II	III	IV
e > ie	o > ue	e > i	u > ue
querer	poder	pedir	jugar
quiero	puedo	pido	juego
quieres	puedes	pides	juegas
quiere	puede	pide	juega
queremos	podemos	pedimos	jugamos
queréis	podéis	pedís	jugáis
quieren	pueden	piden	juegan

Ejemplos:
I. querer, cerrar, comenzar, empezar, entender, perder, pensar, regar, merendar
II. poder, encontrar, volver, dormir, sonar, costar, recordar
III. pedir, servir

2. Verbos con cambio solo en la primera persona:

recoger: *recojo recoges recoge recogemos recogéis recogen*
conocer: *conozco conoces conoce conocemos conocéis conocen*
dar: *doy das da damos dais dan*
hacer: *hago haces hace hacemos hacéis hacen*
poner: *pongo pones pone ponemos ponéis ponen*
saber: *sé sabes sabe sabemos sabéis saben*
salir: *salgo sales sale salimos salís salen*
traer: *traigo traes trae traemos traéis traen*

3. Con más de una irregularidad:

decir: *digo dices dice decimos decís dicen*
oír: *oigo oyes oye oímos oís oyen*
tener: *tengo tienes tiene tenemos tenéis tienen*
venir: *vengo vienes viene venimos venís vienen*
ir: *voy vas va vamos vais van*

Uso

Recuerde el tema 5.

Dar información general:

- *Yo no **sé** hablar francés.*
- *Los bancos **cierran** a las dos.*
- *Dos y dos **son** cuatro.*

Hablar de cosas habituales:

- *Los domingos nunca **vamos** al cine.*

Dar instrucciones:

- *Para ir a casa de Pedro, **tomas** la primera calle a la izquierda y **sigues** hasta una plaza.*

Hablar del futuro:

- *Mañana **salgo** antes.*

Ejercicios

1. Complete según el modelo.

	Yo	Él, ella, usted
1. Salir	salgo	sale
2. Volver	_____	_____
3. Ir	_____	_____
4. Venir	_____	_____
5. Empezar	_____	_____
6. Cerrar	_____	_____
7. Poder	_____	_____
8. Entender	_____	_____
9. Poner	_____	_____
10. Recoger	_____	_____

Aciertos: .... de 18

2. Forme frases con estos elementos.

1. Mi amigo / hacer / la comida
   Mi amigo hace la comida.
2. Yo / no encontrar / el coche
   _____
3. Yo / no saber / tocar el piano
   _____
4. Lola / ir al trabajo / en autobús
   _____
5. Sus abuelos / venir / mañana
   _____
6. Yo / nunca / poner / la tele
   _____
7. Mis alumnos / no entender / algunas cosas
   _____
8. ¿Tú / entender / algo?
   _____
9. ¿Vosotros / entender / la gramática?
   _____
10. Yo / no conocer / a esa cantante
    _____
11. ¿Tú / recordar / esa canción?
    _____
12. ¿(Tú) poder abrir / la ventana?
    _____

Aciertos: .... de 11

Ejercicios

3. Complete con el verbo en la forma correcta.

1. ¿A qué hora (salir, tú) *sales* de casa?
   ¿Y a qué hora (volver, tú) *vuelves?*
2. • ¿_____ a comer a mi casa? *(Venir, tú)*
   • Lo siento, no _____, tengo que hacer unas compras. *(poder)*
3. ¿A qué hora _____ el tren de Sevilla? *(llegar)*
4. • ¿Cómo _____ a clase? *(venir, tú)*
   • _____ en autobús hasta la calle Mayor y luego _____
     andando. *(Ir, yo; venir, yo)*
5. • ¿Vosotros también _____ en el 16? *(venir)*
   • No, _____ en metro. _____ en la línea 5 hasta la Puerta de
     Toledo y _____ en la tercera estación. *(venir, Ir, salir, nosotros)*
6. • Por favor, ¿la calle Mayor?
   • Sí, está muy cerca, _____ todo recto y luego _____
     a la derecha, la segunda calle. *(seguir, ir, tú)*
7. En España, las farmacias y muchas tiendas _____ a mediodía, entre
   las 14:00 y las 17:00. *(cerrar)*
8. ¿A qué hora _____ la película de esta noche? *(empezar)*
9. Nosotros _____ a comer muy tarde, a las 15:00. *(empezar)*
10. Por favor, ¿a qué hora _____ el avión para Nueva York? *(salir)*
11. ¿_____ al cine esta tarde? *(Ir, nosotros)*
12. Yo _____ al gimnasio tres veces a la semana. *(ir)*

Aciertos: .... de 18

4. Complete las frases con el verbo adecuado del recuadro.

| hacer | poner | oír | jugar | conocer |
| abrir | encontrar | saber | costar | dormir |

1. Julia, ¿qué *haces* en tu cuarto?
2. Mamá, ¿dónde _____ la ropa sucia?
3. Normalmente yo _____ 7 horas por la noche y media hora después
   de comer.
4. Estos zapatos son carísimos, _____ 90 euros.
5. En España, las tiendas _____ a las 9 o las 10.
6. • María, yo no _____ mis gafas. ¿_____ dónde están?
   • No, no lo ....
7. ¿Puede hablar más alto? No _____ nada.
8. Mi mujer y yo _____ al tenis los sábados por la mañana.
9. Tu trabajo es muy interesante, porque _____ a mucha gente.

Aciertos: .... de 10

28

5. Siga el modelo.

Tú

1. *Hacer algún deporte*   *¿Haces algún deporte?*
2. Tener un diccionario
3. Poder abrir la puerta
4. Saber tocar la guitarra
5. Entender alemán
6. Oír a los niños
7. Salir por la noche
8. Dormir bien

Aciertos: .... **de 7**

6. Siga el modelo.

Usted

1. *Hacer algún deporte*   *¿Hace algún deporte?*
2. Tener un diccionario
3. Poder abrir la puerta
4. Saber tocar la guitarra
5. Entender alemán
6. Oír a los niños
7. Salir por la noche
8. Dormir bien

Aciertos: .... **de 7**

7. Complete según el modelo.

	Él, ella, usted	Nosotros
1. *Pensar*	*piensa*	*pensamos*
2. Calentar		
3. Contar		
4. Regar		
5. Merendar		
6. Cerrar		
7. Colgar		
8. Pedir		
9. Salir		
10. Decir		
11. Conducir		

Aciertos: .... **de 10**

Ejercicios

8. Complete las frases siguientes con un verbo en la forma correcta.

> sonar   calentar   **poner**   contar   costar
> volar   conocer   pensar   regar   comenzar

1. *Mi hijo nunca pone su abrigo en el armario.*
2. ¿Cuánto _____ este jarrón?
3. En verano ella _____ las plantas todos los días.
4. Ese avión _____ muy bajo.
5. ¿_____ vosotros a Julián, el director de la escuela?
6. Yo siempre _____ la leche al máximo.
7. Este despertador no funciona, no _____ nada.
8. Todos los padres _____ cuentos a sus hijos.
9. Los extranjeros _____ que todos los españoles son morenos y bajitos.
10. ¿Cuándo _____ las vacaciones?

Aciertos: .... de 9

9. Siga el modelo.

1. *años / tú*   *¿Cuántos años tienes?*
2. hijos / usted   _____
3. coches / Antonio y Ana   _____
4. días de vacaciones / tu mujer _____
5. premios de atletismo / tú   _____
6. diccionarios / Marisa   _____
7. dormitorios / este piso   _____
8. cámaras de fotos / vosotros   _____
9. gatos / usted   _____

Aciertos: .... de 8

10. Complete con el verbo *tener* en la forma correcta.

1. *Les gustan mucho los animales.*   *Tienen tres perros y un gato.*
2. Las arañas _____ seis patas.
3. Julián quiere ir de vacaciones, pero no _____ bastante dinero.
4. Niños, ¿_____ hambre?
5. • ¿Qué te pasa, te duele algo?
   • No, solo _____ sueño, no he dormido bien.
6. ¿Cuántos habitantes _____ Sevilla?
7. Yo no_____ coche, voy siempre en metro.
8. Por favor, ¿_____ cambio de 50 euros?
9. ¿_____ un bolígrafo rojo para prestarme?
10. ¿_____ ustedes algo que decir?

Aciertos: .... de 9

TEMA 6   TOTAL **aciertos:** .... de 107

Tema 7

SER, ESTAR Y TENER

SER	ESTAR	TENER
soy	estoy	tengo
eres	estás	tienes
es	está	tiene
somos	estamos	tenemos
sois	estáis	tenéis
son	están	tienen

Uso

SER

1 El verbo *ser* expresa cualidades o características (carácter, tamaño, color, material, apariencias):

- Mi casa **es** grande.
- Mis hijos **son** inteligentes.
- Tu silla no **es** de madera, es de plástico.

2 También se usa para expresar la nacionalidad, la profesión y la posesión, y para describir y valorar:

- Los vecinos de Pepe **son** irlandeses.
- Él **es** diseñador y ella **es** maestra.
- ¿Esto **es** tuyo?
- Mi pueblo **es** precioso.
- Estos zapatos **son** viejos, tienen más de diez años.

ESTAR

1 El verbo *estar* se usa para expresar el lugar o la posición, condiciones temporales y variables, así como estados de salud y anímicos. Con la comida, indica el sabor.

- Andalucía **está** en el sur de España.
- Estos zapatos tienen un mes y ya **están** viejos.
- Ana **está** enfadada con sus hijos.
- La sopa **está** muy buena. Me gusta mucho.

TENER

1 El verbo *tener*, que de modo general expresa la posesión, se usa en descripciones de personas:

- Él **tiene** el pelo rizado y negro, ella **tiene** los ojos azules.

2 También se usa para expresar estados físicos y anímicos, sobre todo con los sustantivos *hambre*, *frío*, *calor*, *sed*, *dolor*, *miedo*, *sueño*:

- ¿Me das agua? **Tengo** sed.

3 Y para decir la edad:

- Mi novio **tiene** treinta años.

Ejercicios

1. Complete con *ser* o con *estar* en la forma correcta.

1. *Mi hermana es alta y morena y yo soy bajita y rubia.*
2. Mi marido _____ camarero, trabaja mucho.
3. Ana, ¿dónde _____ mis gafas?
4. Los niños _____ en el colegio.
5. ¿(Tú) _____ nerviosa por tu boda?
6. (Nosotros) _____ cansados de trabajar.
7. (Yo) _____ española.
8. Fernando y Reyes _____ profesores.
9. Mañana _____ mi cumpleaños.
10. Madrid _____ en el centro de España.
11. El coche _____ en la calle Mayor.
12. Mi coche _____ viejo, pero _____ muy nuevo.
13. Mi novio _____ muy guapo.
14. Las ballenas _____ mamíferos.
15. El presidente _____ inteligente.
16. Estos macarrones _____ muy buenos.
17. Las verduras _____ buenas para la salud.
18. Andrés _____ un hombre bueno.
19. Mi madre no _____ bien, _____ enferma.
20. • ¿Cómo _____ tus padres?
    • Bien, gracias.

Aciertos: .... de 21

2. Complete con el verbo en la forma correcta.

1. *Yo no tengo hambre. (tener)*
2. Luis _____ muy nervioso porque _____ un examen mañana. *(estar, tener)*
3. Andrés _____ treinta y ocho años y su mujer, treinta y cuatro. *(tener)*
4. Mi mujer _____ alta y guapa y _____ los ojos oscuros. *(ser, tener)*
5. Los turistas _____ cansados. *(estar)*
6. ¿_____ colombiana? *(Ser, tú)*
7. Esta casa _____ muy desordenada. *(estar)*
8. ¿_____ un ordenador portátil? *(Tener, ustedes)*
9. Ana _____ enferma, _____ fiebre. *(estar, tener)*
10. Ellos _____ dos hijos. El mayor _____ doce años y el menor, ocho. *(tener, tener)*
11. Mi casa _____ cerca del metro. *(estar)*
12. Yo no _____ nerviosa, pero hoy _____ bastante nerviosa. *(ser, estar)*
13. ¿Vosotros _____ americanos? *(ser)*
14. El río Amazonas _____ en América. *(estar)*

Aciertos: .... de 18

Ejercicios

3. Complete con *ser*, *estar* o *tener* en la forma correcta.

1. *Yo* tengo *miedo de los perros.*
2. Roma no _____ en Grecia.
3. Las llaves _____ en mi bolso.
4. Mira, esta _____ María.
5. Juan _____ moreno y _____ los ojos verdes.
6. Mis manos _____ frías.
7. ¿Tú no _____ frío?
8. El café _____ muy caliente.
9. Buenos Aires _____ la capital de Argentina.
10. Mira, allí _____ María.
11. Ellos _____ cansados.
12. Los zapatos _____ sucios.
13. María _____ sueño.
14. Mis hermanas _____ en casa.
15. Los elefantes _____ unos animales muy grandes.
16. ¿(Vosotros) _____ hijos?
17. El bebé _____ triste porque _____ hambre.
18. Esa calle _____ lejos.

Aciertos: .... | de 19

4. Relacione y forme siete frases. (Hay varias respuestas posibles.)

1. Están	mi hermana
2. Somos	altos y guapos
3. Son	el pelo corto y rizado
4. Es	veterinario
5. Tengo	casados
6. Soy	este ordenador
7. Tiene	tu bolso
	tus hijos
	inteligentes
	viejo
	de cuero
	20 años

TEMA 7 | TOTAL **aciertos:** .... | de 52

Tema 8

u LOS VERBOS REFLEXIVOS

LEVANTARSE		
(yo)	me	levanto
(tú)	te	levantas
(él, ella, usted)	se	levanta
(nosotros/-as)	nos	levantamos
(vosotros/-as)	os	levantáis
(ellos/-as, ustedes)	se	levantan

Uso

1 En español muchos verbos se usan con los pronombres reflexivos me, te, se, nos, os, se: *llamarse, casarse, ducharse, acostarse, afeitarse.*

- Yo **me acuesto** todos los días a las 11:00.
- Mi hija **se llama** Lucía.
- Andrés no **se afeita** los domingos.

2 Estos mismos verbos pueden usarse sin pronombre, si la acción que expresan recae en otra persona.

- Lucía **se pinta** los labios siempre.
- Lucía **pinta** su casa todos los años.

- Óscar **se acuesta** a las once.
- Óscar **acuesta** a su hija a las nueve.

1. Escriba debajo de cada dibujo lo que hacen estas personas.

| bañarse ducharse despertarse vestirse afeitarse lavarse levantarse |

1. Carmen se baña.

2. Los niños _____ a las 9:00.

5. Nosotros _____

3. Ella _____ el pelo.

6. Juan _____

4. Él _____

7. Mis vecinos _____ a las 7:00.

2. Siga el modelo.

1. *Quique se ducha. Yo me ducho.*
2. ¿Vosotros os bañáis en la piscina?
   ¿Tú _____?
3. ¿Vosotras os pintáis?
   ¿Tú _____?
4. Nosotros nos levantamos pronto.
   Ana _____
5. Nosotros nos acostamos tarde.
   Yo _____
6. ¿Vosotros os dormís después de comer?
   ¿Ustedes _____?

Aciertos: .... | de 5

36

3. Complete las frases con el verbo en la forma correcta.

1. Andrés *se afeita* con maquinilla eléctrica. *(afeitarse)*
2. Yo siempre _____ temprano, pero mis hijos _____
   _____ tarde. *(levantarse, levantarse)*
3. • ¿Vosotros _____ tarde? *(acostarse)*
   • No, normalmente _____ a las once de la noche, pero los
     sábados _____ viendo la tele hasta la una, por lo menos
     (acostarse, quedarse)
4. Ellos _____ las manos antes de comer y los dientes después
   de comer. *(lavarse)*
5. Paco _____ por la tarde, cuando viene del trabajo. *(ducharse)*
6. Todos los veranos _____ en la piscina. *(bañarse, nosotros)*
7. • ¿Tú _____ las uñas? *(pintarse)*
   • No, no me gusta. Solo _____ un poco los labios. *(pintarse)*
8. ¿Qué te pasa? ¿No _____ bien? *(encontrarse)*
9. Miguel _____ el coche a la oficina normalmente, pero yo no,
   porque no me gusta conducir. *(llevarse)*
10. Los españoles también _____. *(divorciarse)*
11. Alejandro y Ana _____ siempre en la última fila de la clase.
    (sentarse)

Aciertos: .... de 14

4. Complete el hueco con un verbo en la forma correcta.

encontrarse despertarse lavarse dormirse bañarse
divorciarse ducharse sentarse acordarse afeitarse

1. Natalia no viene hoy a clase porque *se encuentra* mal.
2. ¿(Tú) _____ la cabeza todos los días?
3. ¿Sabes? Juan y Blanca _____ porque no se entienden.
4. Mi padre siempre _____ en el mismo sillón.
5. Julio nunca _____ de apagar las luces antes de salir de una
   habitación.
6. Yo siempre _____ un poco después de comer.
7. Este niño _____ todas las noches a las 3:00 y se pone a llorar.
8. Yo nunca _____ con maquinilla eléctrica.
9. Nosotros nunca _____, preferimos _____ es más ecoló-
   gico, se gasta menos agua.

Aciertos: .... de 9

TEMA 8 TOTAL aciertos: .... de 28

Tema 9

LOS NÚMEROS

Mi cumpleaños es el veinticinco de marzo.

Cuarta planta, por favor.

Yo voy a la quinta.

Numerales cardinales

• 0 se lee cero

Unidades		Decenas			
		diez	10		
uno	1	once	11		
dos	2	doce	12	veinte	20
tres	3	trece	13	treinta	30
cuatro	4	catorce	14	cuarenta	40
cinco	5	quince	15	cincuenta	50
seis	6	dieciséis	16	sesenta	60
siete	7	diecisiete	17	setenta	70
ocho	8	dieciocho	18	ochenta	80
nueve	9	diecinueve	19	noventa	90

Centenas		Millares	
cien	100	mil	1000
doscientos, as	200	dos mil	2000
trescientos, as	300	tres mil	3000
cuatrocientos, as	400	cuatro mil	4000
quinientos, as	500	cinco mil	5000
seiscientos, as	600	seis mil	6000
setecientos, as	700	siete mil	7000
ochocientos, as	800	ocho mil	8000
novecientos, as	900	nueve mil	9000

• Del 1 al 30 se escriben en una sola palabra:

>   21 = veintiuno   22 = veintidós

• De 31 en adelante se escriben en dos palabras, separadas por y:

>   31 = treinta y uno   32 = treinta y dos

• 100 se lee cien.

• Pero 101 se lee ciento uno   102 se lee ciento dos

• Ciento no tiene femenino.

• Pero las demás centenas sí:

>   quinientos, -as

•   1 000 000 = un millón

•   1 000 000 000 = mil millones

• 1 000 000 000 000 = un billón

Numerales ordinales

primero, -a ⟶	1.º	undécimo, -a ⟶	11.º
segundo, -a ⟶	2.º	duodécimo, -a ⟶	12.º
tercero, -a ⟶	3.º	decimotercero, -a ⟶	13.º
cuarto, -a ⟶	4.º	decimocuarto, -a ⟶	14.º
quinto, -a ⟶	5.º	decimoquinto, -a ⟶	15.º
sexto, -a ⟶	6.º	decimosexto, -a ⟶	16.º
séptimo, -a ⟶	7.º	decimoséptimo, -a ⟶	17.º
octavo, -a ⟶	8.º	decimoctavo, -a ⟶	18.º
noveno, -a ⟶	9.º	decimonoveno, -a ⟶	19.º
décimo, -a ⟶	10.º	vigésimo, -a ⟶	20.º

   100.º = centésimo, -a
1 000.º = milésimo, -a

1. NÚMEROS CARDINALES

1 Los cardinales -que son los números básicos- se usan, por ejemplo, para expresar el precio, el peso, la distancia, la medida, la hora y los días del mes:

- *Vale 500 **(quinientos)** €.*
- *Pesa 52 **(cincuenta y dos)** kilos.*
- *Mi pueblo y el tuyo están a 60 **(sesenta)** kilómetros.*
- *Mide 6 (seis) metros y 15 **(quince)** centímetros.*
- *Son las 10 **(diez)** de la noche.*
- *Hoy es 19 **(diecinueve)** de septiembre.*

2 Uno pierde la -o delante de un nombre masculino singular y cambia la -o en -a delante de un nombre femenino. Los números compuestos con uno también pierden la -o delante de nombres masculinos:

- *un libro*
- *una casa*
- *veintiún años*
- *treinta y un mil kilos*
- *ochenta y un euros*

3 Las centenas -desde doscientos- van en masculino y femenino, según el nombre al que acompañan:

- *240 Km - **doscientos** cuarenta kilómetros*
- *240 - **doscientas** cuarenta revistas*

2. NÚMEROS ORDINALES

1 Los ordinales se usan, por ejemplo, para nombrar los pisos de una casa y el número de orden en un grupo:

- *El ascensor se ha parado en el segundo piso.*
- *Silvia era la primera de la clase.*

2 Los ordinales se usan muy poco después del 10.º (décimo). Se suelen sustituir por los cardinales:

- *Vivo en el piso 15 (quince) = cardinal.*
- *Vivo en el 15.º (decimoquinto) piso = ordinal.*

3 Los ordinales concuerdan en género y número con el sustantivo al que acompañan:

- *Yo vivo en el piso primero.*
- *La biblioteca está en la primera planta.*
- *Mañana salen los primeros periódicos después de las elecciones.*
- *Las atletas españolas ahora son las quintas.*

4 Los ordinales primero y tercero pierden la -o delante de un nombre masculino singular:

- *Yo vivo en el primer piso.*
- *El miércoles es el tercer día de la semana.*

Ejercicios

1. Escriba con letras.

1.	9.	nueve
2.	15	_____
3.	29	_____
4.	80	_____
5.	64	_____
6.	143	_____
7.	450	_____
8.	500	_____
9.	526	_____
10.	348	_____
11.	820	_____
12.	1 237	_____
13.	4 500	_____
14.	7 358	_____

Aciertos: .... de 13

2. Escriba el número correspondiente.

1. doce   12
2. dieciséis   _____
3. cincuenta y seis   _____
4. trescientos veinte   _____
5. noventa y cuatro   _____
6. mil doscientos cuarenta   _____
7. cinco mil quinientos   _____
8. ochenta y tres mil ciento noventa   _____
9. seiscientas veinte mil trescientas   _____
10. ciento veinte mil setecientos   _____
11. un millón cinco   _____

Aciertos: .... de 10

3. Escriba con todas las palabras.

1. 250 Km   doscientos cincuenta kilómetros
2. 320 Kg   _____
3. 29 370 €   _____
4. 650 Km   _____
5. 10 500 €   _____
6. 2 000 m   _____
7. 1 356 €   _____
8. 802 km   _____
9. 33 m   _____
10. 27 km   _____   Aciertos: .... de 9

4. Escriba debajo del reloj la hora que marca.

1. Las ocho y media   2. _____   3. _____

4. _____   5. _____   6. _____

7. _____   8. _____   9. _____

Aciertos: ....   de 8

5. Escriba con letras.

1. 2.º   *segundo*
2. 3.ª   _____
3. 7.º   _____
4. 4.º   _____
5. 1.º   _____
6. 10.ª   _____
7. 9.º   _____
8. 6.ª   _____
9. 5.ª   _____
10. 8.ª   _____
11. 5.º   _____

Aciertos: ....   de 10

6. ¿En qué piso viven?

1. 2.º izda.   *Segundo izquierda*
2. 3.º 1.ª   _____
3. 5.º 2.ª   _____
4. 6.º A   _____
5. 4.º dcha.   _____
6. 1.º 1.ª   _____
7. 1.º 2.º   _____
8. 7.º 2.ª   _____
9. 6.º C   _____   Aciertos: .... de 8

7. Complete con *primero*, *segundo* y *tercero* en la forma correcta.

1. *Esta es mi primera novela.*
2. Tengo otros dos hijos mayores, este es el _____.
3. • Mi casa tiene solo tres pisos y yo vivo en el último.
   • Entonces, ¿vives en el _____?
4. He empezado este año, estudio _____ de Derecho.
5. De _____, quiero ensalada y, de segundo, un filete.
6. El _____ curso de español es más difícil que el segundo.
7. Señora, esta es la segunda planta. Suba una planta más, las lámparas están en la _____.
8. Es la _____ vez que vengo a España. La _____ fue en 1988 y la primera en 1976.

Aciertos: .... de 8

8. Escriba el ordinal en género masculino o femenino, según corresponda.

1. (1.º / ª)   *primer curso*
2. (2.º / ª)   _____ idioma
3. (4.º / ª)   _____ hija
4. (3.º / ª)   _____ plato
5. (10.º / ª)   _____ piso
6. (6.º / ª)   _____ lección
7. (100.º / ª)   _____ vez
8. (20.º / ª)   _____ planta
9. (5.º / ª)   _____ letra
10. (15.º / ª)   _____ día

Aciertos: .... de 9

TEMA 9   TOTAL aciertos: .... de 75

Tema 10

ESTAR + GERUNDIO, IR A + INFINITIVO

Gerundio de verbos regulares	
Infinitivo	Gerundio
cantar	cantando
beber	bebiendo
vivir	viviendo

Gerundio de verbos irregulares	
Infinitivo	Gerundio
leer	leyendo
dormir	durmiendo

ESTAR (presente) + GERUNDIO

	Infinitivo	Gerundio
(yo)	estoy	cantando
(tú)	estás	cantando
(él, ella, usted)	está	cantando
(nosotros/-as)	estamos	cantando
(vosotros/-as)	estáis	cantando
(ellos/-as, ustedes)	están	cantando

IR (presente) A + INFINITIVO

(yo)	voy	a hablar
(tú)	vas	a hablar
(él, ella, usted)	va	a hablar
(nosotros/-as)	vamos	a hablar
(vosotros/-as)	vais	a hablar
(ellos/-as, ustedes)	van	a hablar

Uso

1 Estar + gerundio expresa la acción en desarrollo. En presente, se refiere a una acción que ocurre exactamente en este momento.

- Este año **estoy terminando** mis estudios.
- Jaime, ¿qué hacen los niños?
- **Están jugando** en su cuarto.

2 Ir a + infinitivo expresa la intención de hacer algo próximamente, en el futuro.

- Esta tarde vamos a ir al cine.
- El próximo fin de semana vamos a organizar una fiesta.

1. Escriba la forma del gerundio de estos verbos.

1. Poner	*poniendo*		7. Dormir	___
2. Beber	___		8. Salir	___
3. Tomar	___		9. Ver	___
4. Bailar	___		10. Escribir	___
5. Hacer	___		11. Leer	___
6. Hablar	___		12. Estudiar	___

Aciertos: .... **de 11**

2. ¿Qué están haciendo?

1. Ana / lavarse / el pelo. *Ana se está lavando el pelo.*
2. Las niñas / dormir _____
3. Nosotros / cenar _____
4. Él / pintar / la habitación _____
5. ¿Vosotros / estudiar? _____
6. ¿(Tú) hacer / la comida? _____
7. ¿(Ella) leer / el periódico? _____
8. ¿(Tú) hablar / por teléfono? _____
9. Juan / ducharse _____
10. Yo / afeitarse _____
11. Nosotras / ver / la tele _____
12. Ellos / jugar / en su habitación _____

Aciertos: .... **de 11**

3. Escriba debajo de los dibujos lo que está haciendo en este momento.

1. *¿Y tu marido?*

DAR UN PASEO

Está dando un paseo.

2. ¿Y los niños?

ESTUDIAR

_____

3. ¿Y tu madre?

HACER LA COMPRA

_____

4. ¿Y Álvaro?

BAÑARSE

_____

5. ¿Y tus amigos?

TOMAR UN REFRESCO

_____

6. ¿Y tu jefe?

DORMIR LA SIESTA

_____

7. ¿Y Pepa y Carmen?

JUGAR AL TENIS

_____

8. ¿Y Andrés?

PASAR A ORDENADOR UN TEXTO

_____

Aciertos: .... | de 7

4. Complete con uno de los verbos en la forma *estar + gerundio*.

> cenar   jugar   ducharse   hacer   estudiar
> **tocar**   leer   ver   corregir   salir

1. *Escucha, alguien* está tocando *el piano.*
2. • ¿Y los niños?
   • _____ en el jardín.
3. • Y tus padres, ¿no están en casa?
   • No, _____ con unos amigos.
4. • Ya no podemos ir en el tren, en este momento _____
   _____ de la estación.
5. • ¿Dónde está Jorge? No lo veo.
   • En la cocina, _____ la comida.
6. • Pepito, ¿puedes venir un momento?
   • Ahora no, mamá, _____. Mañana tengo un examen.
7. • (Por teléfono) ¿Qué hacéis?
   • Yo _____ una novela y Luis _____
   _____ una película en la tele.
8. • Papá, el Sr. Pérez te llama por teléfono.
   • Lo siento, no puedo ponerme, _____.
9. • ¿Qué haces, Cristina?
   • Pues mira, _____ unos ejercicios de mis alumnos.

Aciertos: .... | de 9

5. Complete con el verbo en presente o con *estar + gerundio*.

1. • *Paco, ¿qué haces?*
   • *Estoy lavándome el pelo. (lavarse)*
2. Yo no *llevo* el coche a trabajar normalmente. *(llevar)*
3. Juan no puede ponerse al teléfono en este momento. Es que _____. *(cenar)*
4. ¿A qué hora _____ de trabajar? *(salir)*
5. Perdón, no _____. ¿Puede hablar más despacio? *(comprender)*
6. • ¿Y Julián?
   • En el parque, _____ al perro. *(pasear)*
7. Escucha, alguien _____ esa canción que me gusta tanto. *(cantar)*
8. • ¿Puedes venir?
   • Ahora no, _____ un trabajo muy difícil en el ordenador. *(terminar)*
9. • ¿Quieres un café?
   • No, muchas gracias. Nunca _____ café a estas horas. *(tomar)*
10. No, mis hijos no _____ mucho la tele. *(ver)*
11. ¡Qué raro!, siempre que llamo a mi padre, el teléfono _____ *(comunicar)*

Aciertos: .... de 9

6. Siga el ejemplo.

1. ¿Tú / comer / en casa?
   ¿Vas a comer en casa?
2. ¿Usted / comprar / un coche nuevo?
   _____
3. ¿Cuándo / usted / hablar con la directora?
   _____
4. ¿Tú / llamar por teléfono / tus padres?
   _____
5. ¿A qué hora / cenar / vosotros?
   _____
6. ¿Cuándo / ustedes / ver / la exposición de cerámica?
   _____
7. ¿Tú / trabajar / mañana?
   _____
8. ¿Con quién / ir / tú / al cine?
   _____

Aciertos: .... de 7

7. ¿Qué van a hacer esta tarde?

> • cenar en un restaurante argentino   • dormir la siesta
> • ver un partido en la televisión   • bailar a la discoteca
> • pintar la casa   • **jugar al golf**

1. Carlos

2. El niño

3. Carmen y María

4. Los padres

5. La abuela

6. Miguel

1. Carlos va a jugar al golf.
2. _____
3. _____
4. _____
5. _____
6. _____

Aciertos: ....   de 5

8. Escriba una lista de cinco cosas que piensa hacer esta tarde.

_____
_____
_____
_____
_____

TEMA 10   TOTAL aciertos: ....   de 59

Tema 11

EL VERBO *GUSTAR*

Construcción de *GUSTAR*

(A mí)	me	
(A ti)	te	
(A él, ella, usted)	le	
		gusta... nadar, el chocolate
(A nosotros/-as)	nos	
(A vosotros/-as)	os	
(A ellos/-as, ustedes)	les	
(A mí)	me	
(A ti)	te	
(A él, ella, usted)	le	
		gustan... los deportes
(A nosotros/-as)	nos	
(A vosotros/-as)	os	
(A ellos/-as, ustedes)	les	

1 El verbo gustar se usa en 3.ª persona del singular o el plural, según sea el sujeto gramatical: nadar o el chocolate, en singular; los deportes, en plural.

- ¿Sabes? **Me gusta** mucho tu casa.
- **Me gustan** mucho las casas grandes.

2 A veces se repite, adelantándolo, el nombre al que se refiere el pronombre (me, te, le, nos, os, les), con la preposición a:

- A mis padres no les gustan mis amigos.
- A mi hermano le duele mucho la cabeza.

3 En lugar de un nombre, a veces se repite un pronombre también con la preposición a:

- ¿**A vosotros** os gusta el queso?
- A **ella** no le gustan los niños, pero a mí sí.
- A **nosotros** nos gusta mucho salir por la noche.
- ¿**A ustedes** les gusta el flamenco?

4 Hay otros verbos que funcionan como gustar, como el verbo doler o parecer por ejemplo.

- ¿**A usted** qué le parecen las corridas de toros?

Verá, por la mañana, al levantarme me duele la pierna derecha.

Vamos a ver, ¿qué le pasa?

- A usted, ¿qué le parecen estas propuestas?
- ¿Te duelen las piernas?
- Esa lección nos parece muy difícil.
- Luis está muy triste, le pasa algo.

1. Siga el modelo.

1. A usted / esta cámara de fotos
¿A usted le gusta esta cámara de fotos?
2. A usted / estos tomates
_____

3. A vosotros / la última película de Almodóvar
_____

4. A ti / esta blusa
_____

5. A ustedes / la colección de pintura Von Thyssen
_____

6. A vosotros / las declaraciones del presidente
_____

7. A ti / estos modelos de coches
_____

8. A ustedes / estas fotos
_____

Aciertos: .... | de 7

2. Complete con el pronombre y subraye la opción correcta.

1. A mí no me gustan nada las motos.
2. A mi marido _____ gusta/gustan mucho el fútbol.
3. A Maribel no _____ gusta/gustan bañarse en el mar.
4. ¿A usted _____ gusta/gustan ir a trabajar en metro?
5. A ellos no _____ gusta/gustan nada los libros.
6. A mis hijos _____ gusta/gustan muchísimo el chocolate.
7. A Luis y María _____ gusta/gustan los deportes de invierno.
8. A mí _____ gusta/gustan la comida china.
9. ¿A ti _____ gusta/gustan cocinar?
10. ¿A ustedes _____ gusta/gustan España?
11. ¿A vosotros _____ gusta/gustan jugar al ajedrez?
12. A nosotros no _____ gusta/gustan mucho la carne.
13. ¿A ti _____ gusta/gustan los animales?
14. ¿A ustedes _____ gusta/gustan salir de noche?

Aciertos: .... | de 13

3. Ordene las palabras para formar frases.

1. A/mi/mucho/bailar/gusta/le/marido
A mi marido le gusta mucho bailar.
2. A/nada/niños/les/el/los/pescado/gusta/no
_____

3. ¿gustan/Te/gatos/los?

_____

4. películas/gustan/No/terror/me/las/de

_____

5. ¿gusta/chorizo/Le/el?

_____

6. Nos/jugar/al/mucho/tenis/gusta

_____

7. ¿Os/crucigramas/hacer/gusta?

_____

8. ¿le/usted/coleccionar/gusta/A/sellos?

_____

Aciertos: .... de 7

4. Complete con el pronombre y subraye la opción correcta.

1. *Luis se ha caído y le duele una rodilla.*
2. Ana es secretaria y _____ duele/duelen la espalda.
3. A mí _____ duele/duelen los pies.
4. ¿A ti _____ duele/duelen algo?
5. Los niños han comido muchas chucherías y _____ duele/duelen el estómago.
6. A papá y a mí _____ duele/duelen la cabeza.
7. A Juan y a Pilar _____ duele/duelen el cuello por el accidente.
8. A mí _____ duele/duelen las muelas.
9. A mi madre _____ duele/duelen las piernas por la caída.
10. ¿A usted no _____ duele/duelen los ojos de escribir en el ordenador?

Aciertos: .... de 9

5. Complete con el pronombre correcto.

1. • *Lola, ¿qué te parece el traje nuevo?*
   • *No está mal, pero a mí me gustan más los pantalones.*
2. • Oye, ¿qué _____ pasa?
   • _____ duele muchísimo la cabeza.
3. •¿A ti qué _____ parece? ¿Cómo _____ queda a mí esta falda?
   • Muy bien. Es que a algunas chicas la minifalda _____ queda fatal.
4. Estos cuadros modernos _____ parecen horribles, ¿a ti no?
5. Estos tomates no _____ gustan, _____ parece que están verdes.
6. ¿Tú sabes qué _____ pasa a Aurelio? Está muy raro.
7. • Mira estas fotos del verano, ¿qué _____ parecen?
   • Están muy bien, _____ gustan mucho.

Aciertos: .... de 10

TEMA 9 | TOTAL aciertos: .... de 46

Tema 12

 LOS DEMOSTRATIVOS

Demostrativos
(Adjetivos y pronombres)

Singular		Plural	
Masc.	Fem.	Masc.	Fem.
este	esta	estos	estas
ese	esa	esos	esas
aquel	aquella	aquellos	aquellas
Solo pronombres: esto, eso, aquello			

1 Los adjetivos y los pronombres demostrativos tienen la misma forma:

- *Este libro es mío.*
- *Este es mi libro.*

2 Los adjetivos demostrativos generalmente van delante del nombre y concuerdan con él en género y número:

- *Esta semana tengo mucho trabajo.*
- *Aquellos árboles están enfermos.*

3 A veces pueden ir detrás de un sustantivo con artículo, para destacarlo más:

- *El libro ese no me gusta nada.*

4 Los pronombres demostrativos concuerdan en género y número con el nombre al que sustituyen.

- *Mira, esta es Sonia y este es Ignacio.*
- *Estos no me gustan, prefiero esos.*

5 Los pronombres demostrativos esto, eso y aquello nunca llevan tilde y se refieren a una idea, a algo de lo que no se da el nombre exacto, o a algo de lo que se acaba de hablar:

- *Eso no está bien.*
- *¿Qué es aquello?*
- *Esto es muy raro.*

6 Este, esta, esto, estos, estas se refieren a algo cercano; se relacionan con el adverbio aquí:

- *Este verano voy a ir de vacaciones a Grecia.*
- *No me gusta mucho este vestido. ¿Buscamos otro?*

7 Ese, esa, eso, esos, esas se refieren a algo menos cercano; se relacionan con el adverbio ahí:

- *Vivo en Perú desde 2015. Me acuerdo mucho de ese año.*
- *Mira, ese chico de ahí es mi novio.*

8 Aquel, aquella, aquello, aquellos, aquellas se refieren a algo más lejano; se relacionan con el adverbio allí:

- *Te conozco desde el primer año de la escuela infantil. ¿Te acuerdas de aquella época?*
- *No sé si lo vea allá lejos, pero aquella mujer es mi jefa.*

1. Complete con *este* en la forma correcta. Luego, cambie el número.

1. *esta casa*   *estas casas*
2. _____ periódico _____
3. _____ lechuga _____
4. _____ coches _____
5. _____ hotel _____
6. _____ vaso _____
7. _____ revistas _____
8. _____ cama _____
9. _____ mapa _____
10. _____ fotos _____
11. _____ cuaderno _____
12. _____ sillón _____
13. _____ días _____
14. _____ bolígrafo _____
15. _____ moto _____

Aciertos: .... de 14

2. Complete con *ese* en la forma correcta. Luego, cambie el número.

1. *ese libro*   *esos libros*
2. _____ árboles _____
3. _____ sofás _____
4. _____ carne _____
5. _____ piso _____
6. _____ mujeres _____
7. _____ día _____
8. _____ lámpara _____
9. _____ calcetines _____
10. _____ tenedores _____
11. _____ radio _____
12. _____ ordenador _____
13. _____ habitación _____
14. _____ foto _____
15. _____ idiomas _____

Aciertos: .... de 14

3. Complete con *aquel* en la forma correcta. Luego, cambie el número.

1. *aquellos aviones*		*aquel avión*
2. _____	árbol	_____
3. _____	río	_____
4. _____	montañas	_____
5. _____	globo	_____
6. _____	pájaros	_____
7. _____	piedras	_____
8. _____	niña	_____
9. _____	hombres	_____
10. _____	chalés	_____
11. _____	pelota	_____
12. _____	papel	_____
13. _____	trenes	_____
14. _____	carta	_____
15. _____	cuadro	_____

Aciertos: .... de 14

4. Complete con uno de los demostrativos del recuadro.

estas	**este** (2)	aquello
esos	aquel	esta (2)

1. Toma, este regalo es para ti.

2. • ¿Qué es _____ que se ve allá?

   • No sé, parecen unos pájaros, ¿no?

3. ¿Quién vive en _____ piso de allí?

4. ¿Cuánto valen _____ postales de aquí?

5. ¿Te gustan _____ pendientes del escaparate?

6. ¿Está libre _____ silla?

7. ¿Dónde echo _____ agua?

8. Mira, os presento: _____ es mi amigo Juan.

Aciertos: .... de 7

5. Complete con el demostrativo correcto.

Ana: ¡Cuánta gente! Y no conozco a nadie.

Inés: Yo sí. ¿Ves allí a _____ hombre de las gafas?

Ana: Sí, ¿quién es?

Inés: Es Fernando, el director general.

Ana: ¿Y _____ de ahí, la rubia?

Inés: _____ es Rosa, jefa de mi departamento.

Ana: ¿Quién es _____ de ahí, el de los vaqueros?

Inés: _____ es el dibujante.

Ana: ¿Y _____ del fondo a la derecha, los que están bailando?

Inés: Son Laura y Víctor, trabajan en contabilidad.

Juan: Mira, _____ de aquí es Lorena y _____ de ahí se llama
     Patricia, son amigas.
Sergio: ¿Y quién es _____ de ahí, el del pelo con rasta?
Juan: _____ es Pablo.
Sergio: ¿Y _____ que está allí detrás, en la moto?
Juan: _____ es David, el novio de mi hermana.

Julia: Buenos días, ¿puede decirme el precio de _____ bolso?
Vendedor: Sí, claro, _____ marrón cuesta 55 euros.
Julia: ¿Y _____ de ahí?
Vendedor: _____ es más caro, es de piel, son 120 euros.
Julia: ¿Y cuánto cuestan ...... _____ de allí?
Vendedor: _____ están de oferta, a 30 euros cada uno.

Aciertos: ....   de 18

TEMA 12   TOTAL aciertos: ....   de 67

Tema 13

TAMBIÉN Y TAMPOCO

¡No me digas!

Yo también / Yo tampoco
A mí también / A mí tampoco

Yo sí / Yo no
A mí sí / A mí no

¡Qué pena! / ¡Qué suerte!

1 Para expresar acuerdo con el que habla se usan yo también, a mí también, si la acción a la que se refieren es afirmativa, y yo tampoco, a mí tampoco, si la acción a la que se refieren es negativa:

- Yo quiero ir al cine.
- Yo también.
  - A mí me ha gustado la película.
  - A mí también.
    - Yo no quiero un cigarrillo.
    - Yo tampoco.
      - A mí no me gusta el café.
      - A mí tampoco.

2 Para expresar desacuerdo con el que habla se usan yo no, a mí no, si la acción a la que se refieren es afirmativa, y yo sí, a mí sí, cuando la acción es negativa:

- Yo quiero ir a la playa.
- Yo no. Yo prefiero ir a la montaña.
  - A mí me gusta mucho esquiar.
  - Pues a mí no.
    - Yo no quiero ir a la discoteca.
    - Yo sí.
      - A mí no me gusta la montaña.
      - A mí sí.

3 Cuando reaccionamos, también podemos expresar sentimientos. Para expresar sorpresa se usa ¡no me digas!, o ¿sí?, ¿es posible?, sin esperar respuesta:

- ¿Sabes? Susana y Miguel han tenido trillizos.
- ¡No me digas!, no lo sabía.

4 Para expresar pena o dolor ante un hecho que nos cuentan se usa ¡qué pena!:

- Ha habido un incendio en casa y se me han quemado los libros.
- ¡Qué pena!

5 Para expresar alegría ante un hecho que nos cuentan se usan ¡qué suerte!, ¡qué bien!:

- Me ha tocado la lotería.
- ¡Qué suerte!

6 Y si felicitamos a alguien por una buena noticia decimos ¡enhorabuena!:

- Me han nombrado directora.
- ¡Vaya! ¡Enhorabuena!

7 Para expresar pena / dolor por una desgracia se dice lo siento:

- Se ha muerto mi abuelo.
- Lo siento.

1. Muestre su acuerdo y *subraye la opción correcta.*

    1. • *Hoy estoy contento.*   ⟶   • *Yo también.*
    2. • No tengo ganas de comer.
       • Yo *también/tampoco.*
    3. • Soledad come mucho.
       • Manolo *también/tampoco.*
    4. • A Julián le gustan las películas de miedo.
       • A mí *también/tampoco.*
    5. • A mis hijos les gusta patinar.
       • A los míos *también/tampoco.*
    6. • Juanjo no quiere dejar su trabajo.
       • Yo *también/tampoco.*
    7. • Voy a salir a tomar un café.
       • Yo *también/tampoco.*

Aciertos: ....   de 6

2. Reaccione libremente, como en el ejemplo.

    1. • *Yo no conozco Pekín.*   • *Yo sí (o yo tampoco).*
    2. A mí me gusta mucho el chocolate.

    3. Normalmente no veo la tele.

    4. Necesito tomarme un café ahora mismo.

    5. Yo no sé jugar al fútbol.

    6. Me gusta el español.

    7. Yo no sé bailar flamenco.

    8. Mañana no voy a ir a trabajar.

    9. A mí me parece que las guerras son inútiles.

    10. Yo leo muchísimo.

    11. A mí no me gustan las vacaciones.

    12. Me encantan las vacaciones.

Aciertos: ....   de 11

3. Relacione.

1. Mis padres ya no viven.
2. Pues sí, Juan Antonio y yo nos casamos.
3. ¡Por fin tengo trabajo!
4. El lunes próximo vamos a hacer otro examen.
5. Luis ya no tiene trabajo.
6. Mi hermano está en el hospital.
7. Paco gana 300 000 euros al año.

a. ¿Sí?, ¿qué le pasa?
b. ¡Qué rollo!
c. ¿Sí?, ¡no me digas!
d. Vaya, lo siento.
e. Vaya, ¡qué pena!
f. ¡Qué bien! Me alegro mucho.
g. ¡Enhorabuena!

1. - *d*
2. _____
3. _____
4. _____
5. _____
6. _____
7. _____

Aciertos: .... de 6

4. Imagine que se encuentra en la calle con un amigo español que le da estas noticias. Reaccione.

1. Anita está en Hollywood para hacer una película.
¿Sí?, ¡no me digas!
2. Mi hermana ha tenido trillizos.
_____
3. Guillermo no encuentra a su perro.
_____
4. Peter no sabe dónde está su pasaporte y tiene que ir a denunciarlo.
_____
5. Mi hijo tiene que repetir curso.
_____
6. ¡Soy rico! Me han tocado 10 000 euros en la lotería.
_____

TEMA 13 TOTAL **aciertos:** .... de 23

Tema 14

MUY, MUCHO; BIEN, BUENO

$$
\text{MUY} \begin{cases} \textbf{Muy} + \text{adjetivo} \\ \\ \textbf{Muy} + \text{adverbio} \end{cases} \qquad \text{MUCHO} \begin{cases} \textbf{Mucho} / \text{-a} / \text{-os} / \text{-as} \; + \; \text{Nombre} \\ \\ \text{Verbo} \; + \; \textbf{mucho} \end{cases}
$$

$$\textbf{BUENO} / \textbf{-A} / \textbf{-OS} / \textbf{-AS} \; + \; \text{nombre}$$

$$\textbf{BIEN} \longrightarrow \text{Verbo} \; + \; \textbf{bien}$$

Uso

1 **Muy** es invariable y acompaña a adjetivos y a adverbios:

- *Estoy **muy** cansada, me voy a dormir.* • *Vive **muy** cerca de aquí.*

2 **Mucho** varía de género y número si acompaña o se refiere a un nombre:

- *No necesito **mucho** dinero.*   • *Dicen **muchas** cosas interesantes.*

3 **Mucho** no varía cuando acompaña al verbo y funciona como un adverbio:

- *Sara no come **mucho**.*

4 **Bueno** funciona como cualquier adjetivo calificativo; pierde la -o cuando va ante un nombre masculino singular:

- *Raúl es **bueno** con todo el mundo.*   • *Esta película es muy **buena**.*
- *Rafael es un **buen** padre para sus hijos.*

5 **Bien** es un adverbio y modifica al verbo:

- *Eso está **bien**.*

Ejercicios

1. Complete las frases con *muy* o con *mucho* en la forma correcta.

      1. En el cine hay mucha gente.

      2. A _____ niños no les gustan las verduras.

      3. No puedo comprar ese abrigo, es _____ caro.

      4. • ¿Conoces la casa de Mari Carmen?

        • Sí, es _____ bonita.

      5. Yo voy _____ veces a la piscina en invierno.

      6. • ¿Es _____ rico Adolfo?

        • Sí, creo que tiene _____ dinero.

      7. Paloma y Jaime tienen _____ libros en casa.

      8. Mi perro come _____ carne, no le gusta el arroz.

      9. En Madrid, en verano hace _____ calor y, en invierno, frío.

      10. Todavía quedan _____ habitaciones libres en este hotel.

      11. Los españoles consumen _____ aceite de oliva.

      12. El padre de Teresa está _____ enfermo.

      13. A nosotros nos gusta _____ la música clásica y el teatro.

      14. Jaime está cansado porque trabaja _____.

      15. ¿Vosotros salís _____ de noche?

      16. ¿Tu coche gasta _____ gasolina?

Aciertos: .... de 16

2. Subraye la opción correcta.

      1. Fumar no es bueno.

      2. Este es un *bueno/buen/bien* coche, ¡lléveselo!

      3. Esa falda te queda muy *bueno/buen/bien*.

      4. Estás haciendo un *bueno/buen/bien* negocio, de verdad.

      5. María dice que su hijo es muy *bueno/buen/bien*.

      6. Ese ordenador no es tan *bueno/buen/bien* como el otro.

      7. En Málaga siempre hace *bueno/buen/bien* tiempo.

      8. • ¿Y su madre cómo está?

        • Está muy *bueno/buen/bien*, gracias.

      9. No es *bueno/buen/bien* comer tanta carne.

      10. Habla *bueno/buen/bien*, pero tiene que practicar la gramática.

Aciertos: .... de 9

TEMA 14   TOTAL aciertos: .... de 25

Tema 15

LAS PREPOSICIONES: *A, EN...*

Isabel y Juan
van a París.

Isabel y Juan
vienen de París.

MADRID - PARÍS

PARÍS - MADRID

Las preposiciones
A   CON   DE   DESDE   EN

• Son invariables, pero   a + el = al
                          de + el = del

• *A* también va delante de un verbo en infinitivo.
Recuerde el tema 10: *ir a + infinitivo.*

Uso

1 A

1. Destino:
   • *Llega a Madrid mañana.*
   • *Voy a la clase de matemáticas.*

2. Hora:
   • *Empiezo a las 8.*

3. Objetivo / Finalidad / Complemento indirecto:
   • *Voy a comprar el pan.*
   • *¿Le has comprado los zapatos a la niña?*

4. Complemento directo de persona:
   • *He visto a tu marido en la cafetería.*
   • *¿Estás escuchando al presidente en la radio?*

2 CON

1. Compañía:
- *Vive **con** sus padres.*

2. Instrumento / Modo:
- *Lo ha hecho **con** lápiz y papel.*
- *Trabaja **con** mucho interés.*

3 DE

1. Posesión:
- *• ¿**De** quién es este coche?*
- *• **De** mi hermana.*

2. Material:
- *Quiero un jersey **de** lana.*
- *A mí me gusta el helado **de** fresa.*

3. Origen en el tiempo y el espacio:
- *Este café es **de** Colombia.*
- *Trabaja **de** 8 de la mañana a 8 de la noche.*

4. Modo:
- *El abuelo siempre está **de** buen humor.*
- *Los alumnos se ponen **de** pie y se van.*

5. Momento del día al decir las horas:
- *Son las cinco **de** la mañana.*

6. Datos de una descripción:
- *La chica **del** sombrero y el hombre **de** la barba son amigos míos.*

4 DESDE

Origen en el tiempo y el espacio:
- *Venimos andando **desde** su pueblo.*
- *Vivimos aquí **desde** 1978.*
- *Vemos el desfile **desde** el balcón.*
- *No lo he visto **desde** el domingo pasado.*

5 EN

1. Lugar / Posición:
- *Los niños juegan **en** el parque.*

2. Medio de transporte:
- *Voy a ir **en** avión, pero voy a volver **en** tren.*

3. Tiempo:
- *Santiago se casa **en** abril.*
- ***En** otoño caen las hojas de los árboles.*

6 Hay verbos que siempre llevan una preposición fija, por ejemplo: ir a + infinitivo, soñar **con**, acordarse **de**, pensar **en**, etc.:
- *¿Te acuerdas **de** nosotros?*
- *Pienso mucho **en** ti.*

1. Complete con la preposición *en* y con estas palabras.

> la playa   la piscina   bicicleta   un supermercado   un parque
> **el tren**   la televisión   un pueblo   la universidad   la cocina   la cama

   1. Mis amigos llegan en el tren de París.
   2. Vivimos _____ de Andalucía.
   3. Sara y Vicente hacen ejercicio _____
   4. No puedo bañarme _____ porque soy alérgica al cloro.
   5. Vamos a pasar las vacaciones _____
   6. Hoy ponen una película italiana _____
   7. Estoy enfermo y me quedo _____
   8. Mi mujer es profesora _____ .
   9. • ¿Dónde está tu marido?
       • _____ , haciendo la comida.
   10. Normalmente compro _____ del centro.
   11. Mis hijos van siempre al colegio _____

Aciertos: ....   de 10

2. Subraye la opción correcta.

   1. Voy a llamar a los niños para merendar.
   2. Quiero comprarle un regalo *a/de/en* mi marido.
   3. Veo *a/de/en* Fran *a/de/en* la calle.
   4. • ¿*A/De/En* qué hora abren el banco?
       • Creo que *a/de/en* las 8.30.
   5. Esta falda *a/de/en* algodón me gusta más.
   6. Este verano vamos *a/de/en* Londres.
   7. Las llaves están *a/de/en* el bolsillo *a/de/en* mi chaqueta.
   8. Normalmente vengo *a/de/en* clase *a/de/en* metro.
   9. Mi familia está *a/de/en* vacaciones *a/de/en* Marbella.
   10. José Luis vive cerca de aquí y viene siempre *a/de/en* pie.
   11. Hoy voy a llegar *a/de/en* clase *a/de/en* Matemáticas.
   12. Quiero un helado *a/de/en* chocolate.
   13. • ¿*A/De/En* quién es este paraguas?
       • *A/De/En* mi hermana.
   14. María José no está *a/de/en* casa, está comprando en Almacenes Sol.
   15. Hoy me levanto *a/de/en* la una *a/de/en* la tarde.
   16. ¿*A/De/En* dónde son estas camisas?
   17. Hay una mesa enorme *a/de/en* medio *a/de/en* la habitación.
   18. La casa *a/de/en* Cristina es preciosa.
   19. Mis padres van a venir *a/de/en* mi casa *a/de/en* febrero.

Aciertos: ....   de 27

3. Complete con *de* o con *desde*.

1. *No he visto a mis padres desde el mes pasado.*
2. ¿ _____ dónde vienes a estas horas?
3. ¿ _____ dónde estás llamando?
4. ¿ _____ quién es la carta?
5. Mi padre está en Berlín _____ hace dos semanas.
6. Los grandes almacenes abren _____ diez a nueve _____ la noche.
7. Ya está bien, estoy esperándote _____ las cinco.
8. Berta y Ángel están casados _____ 1965.
9. Esta película es _____ 1989.
10. Mira, _____ aquí se puede ver toda la ciudad.
11. _____ que es viuda está muy triste.
12. Sí, señora, este es el tren que viene _____ Sevilla.
13. _____ dos a cinco de la tarde las tiendas están cerradas.
14. Yo trabajo _____ las siete y media hasta las cinco de la tarde.
15. _____ mi casa se ve toda la montaña.

Aciertos: .... de 15

4. Complete con *de* o con *con*.

1. *Mi marido siempre está de mal humor.*
2. • ¿Dónde vais _____ vacaciones?
   • No sé, depende _____ mi trabajo.
3. • ¿ _____ quién se casa Manoli?
   • ¿No lo sabes?, _____ Luis, el profesor de Matemáticas.
4. • ¿ _____ quién es esta novela?
   • _____ Juana Garriga, una escritora nueva.
5. Estoy agotado, trabajo todo el día _____ pie.
6. ¿El hombre alto _____ las gafas _____ sol es tu jefe?
7. Muchas noches sueño _____ el protagonista de *Tierras lejanas*.
8. Yo siempre escribo _____ pluma estilográfica.
9. La última canción de este grupo es _____ amor, claro, como las otras.
10. _____ tanto ruido no se puede trabajar.
11. Hay que limpiar esta habitación, está llena _____ polvo.
12. Sí, aquella _____ pelo rubio y corto es mi novia.
13. Dice las cosas _____ mucha educación.
14. Llora _____ alegría. No llora _____ pena. Está muy contenta.

Aciertos: .... de 18

Ejercicios

5. De estas frases, ocho tienen incorrecciones en la preposición.
   Diga cuáles son y corríjalas.

    1. *Pablo siempre va a trabajar con autobús.*
       Es incorrecta:
       Pablo siempre va a trabajar en autobús.
    2. El hombre con el pelo rizado es mi marido.

    3. A Carmen y a mí nos gusta mucho pasear en el parque.

    4. Los bancos no abren normalmente por la tarde.

    5. El profesor llega tarde en clase otra vez.

    6. ¿Dónde vais a ir de vacaciones?

    7. Buenos días, ¿tienen camisas con algodón?

    8. Normalmente me levanto a las diez por la mañana.

    9. • ¿Qué haces?
       • Nada, solo estoy pensando de mi novia.

   10. El viernes fuimos a ver una película de un director nuevo.

   11. De vacaciones, leo mucho.

   12. Por las noches, nos gusta ir a bailar.

   13. En mi clase, hay solo diez alumnos.

Aciertos: .... de 12

Tema 16

PARA	POR
• Son invariables y van delante de un nombre o de un infinitivo.	

Uso

1 PARA

Se usa para expresar:

Objetivo / Finalidad / Complemento indirecto:

- *Estoy aquí **para** ayudar, no para discutir.* • *Este jersey no es **para** ti, es **para** Juan.*
- ***Para llegar** hasta allí hay que atravesar esas montañas.*

Dirección:

- *Perdone, ¿este tren va **para** Zaragoza?*

Tiempo:

- *Necesito estas fotos **para** el lunes, ¿podrá hacérmelas?*

2 POR

Se usa para expresar:

Causa:

- *Lo detuvieron **por** robar en un banco.*   • *Lucha **por** amor a su patria.*

Tiempo:

- *Llega el lunes **por** la mañana.*

Lugar / medio:

- *Perdone, ¿este tren pasa **por** Zaragoza?*   • *A alguna gente le encanta salir **por** la tele.*

- *¿A quién llamas **por** teléfono?*   • *Te lo mando **por** fax.*

Complemento agente en la voz pasiva:

- *Esta película está dirigida **por** Luis Costa.*

1. Forme las frases adecuadas tomando una parte de cada columna y diga qué expresa la preposición (*para / por*).

1. Los domingos por la tarde
2. A Marisa le encanta
3. La autopista nueva
4. Para mañana,
5. Vendré mañana
6. Mira qué coche me he comprado
7. ¿Para quién
8. ¿Para qué
9. ¿Este autobús
10. Adiós, y

a. pasa por la Plaza Mayor?
b. es esto?
c. gracias por todo.
d. por solo 30 000 euros.
e. quieres las tijeras?
f. veo el partido en la tele.
g. pasear por el campo.
h. para ayudarte.
i. pasa por Valencia.
j. haced estos ejercicios.

1. - f. Los domingos por la tarde veo el partido en la tele. Por: expresa tiempo.
2. _____
_____
3. _____
_____
4. _____
_____
5. _____
_____
6. _____
_____
7. _____
_____
8. _____
_____
9. _____
_____
10. _____
_____
_____

Aciertos: .... de 9

2. Subraye la opción correcta.

1. ¿Aquí tienen vestidos *para* novias?
2. ¿Todavía estás hablando *por/para* teléfono?
3. Esto es *por/para* su hija.
4. No te preocupes más *por/para* tus hijos, ya son mayores.
5. María baja *por/para* la escalera *por/para* ir a la calle.
6. Esta película está realizada *por/para* el mismo realizador de *Sol y sombra.*
7. *Por/Para* llegar allí, tienes que girar a la izquierda después de la gasolinera.
8. No vivo *por/para* trabajar, sino que trabajo *por/para* vivir.
9. El coche va a estar listo *por/para* el lunes.
10. *Por/Para* ir a las playas del Caribe no necesitas mucha ropa.
11. Zapata simboliza la lucha *por/para* la libertad de su país.
12. La ciudad está destruida *por/para* las bombas.
13. Eso le pasa *por/para* no estudiar.
14. No llegamos a tiempo a la recepción *por/para* el tráfico.
15. • ¿Hay algo en el buzón?
    • Sí, una carta *por/para* Rosa.
16. ¿Puedes pasar *por/para* la panadería *por/para* comprar el pan?
17. ¡Qué bonito! ¿Es *por/para* mí?
18. En España, los coches circulan *por/para* la derecha.
19. Vamos a llegar a tiempo, porque vamos a 100 km *por/para* hora.
20. ¿*Por/Para* quién es este jersey?

Aciertos: .... de 21

3. Escriba diez frases con la preposición *por* o *con* para, con distintos usos.

_____
_____
_____
_____
_____
_____
_____
_____

Tema 17

LA PREPOSICIÓN A + PERSONA

En el Hospital Salud están buscando una vacuna contra la tos.

Verbo + objeto directo de cosa

Verbo + **a** + objeto directo de persona

Uso

1 Se usa la preposición a delante del objeto directo cuando este es una persona:
- *Esta mañana he visto a Luisa en la taquilla del teatro.*
- *¿Conoces al director del Banco Continental?*

mientras que:
- *Esta mañana he visto un accidente.*
- *¿Conoces Barcelona?*

2 Con el verbo tener no suele usarse:
- *Gloria tiene tres hijos de su primer marido.*

3 Con el verbo buscar, cuando la persona a la que nos referimos con el objeto directo es indeterminada, no se usa la preposición:
- *Busca un fontanero cualquiera.*

4 Cuando el objeto directo se refiere a animales, el uso de la preposición a es opcional. En general, se utiliza detrás de verbos que significan actividades propias de seres animados, como alimentar, pasear, querer, etc.:
- *¿Con qué alimentas a tu perro?*
- *Anoche vi al/el gato de los vecinos en el tejado.*

Ejercicios

1. Complete con la preposición *a*, si es necesario.

1. • *Buenos días, ¿qué desea?*
   • *Busco al médico que cuida a mi hermana.*
2. Es la primera vez que oigo _____ esa canción.
3. Normalmente veo _____ la madre de Rubén en el metro.
4. • ¿Qué haces?
   • Estoy buscando _____ el libro que necesito.
5. Puede oír _____ Montserrat Caballé por Internet.
6. ¿Sabes?, hay _____ 50 euros en el bolsillo de un pantalón viejo.
7. Yo prefiero ver _____ una obra de teatro.
8. Sí, tienes razón, algunas personas tratan muy mal _____ los animales.
9. El testigo responde _____ fiscal.
10. Estoy buscando _____ un policía que investiga el accidente.
11. Mi hijo quiere mucho _____ nuestro perro.
12. Dicen que van a encontrar _____ los ladrones de mi coche.
13. ¿Ves _____ la cajera del supermercado?
14. Por favor, échale _____ sal a la ensalada.
15. Te estoy preguntando _____ el número de la calle.
16. No podemos visitar _____ todos los parientes.
17. No pudimos visitar _____ todas las salas de la exposición.

Aciertos: .... de 16

2. Complete las frases con uno de los verbos y la preposición *a*, si hace falta.

> conocer recibir esperar escuchar **querer**
> buscar tener necesitar ver

1. *Yo creo que todos los padres quieren a sus hijos.*
2. Mis vecinos _____ un hijo militar.
3. Lo siento, no _____ ninguna aspiradora, ya tengo una.
4. • ¿Qué hacéis?
   • _____ Ana, viene a las 6.
5. • ¿Y a Pili cómo le va?
   • Creo que bien, no _____ carta suya desde enero.
6. Mi jefe _____ una secretaria con dos o tres idiomas.
7. Todos los días _____ tu secretaria en la cafetería.
8. Manolo, ¿_____ al marido de Rosa?
9. Fidel, ¿quieres _____ lo que te digo?

Aciertos: .... de 8

TEMA 17   TOTAL aciertos: .... de 24

Tema 18

HAY QUE Y TENER QUE + INFINITIVO

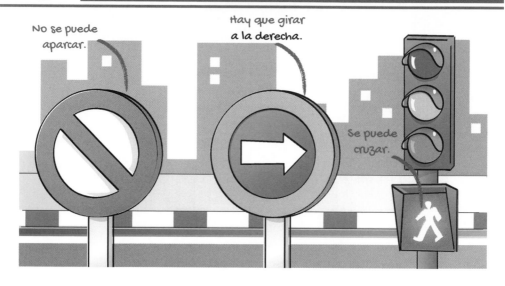

No se puede aparcar.

Hay que girar a la derecha.

Se puede cruzar.

| HAY QUE + infinitivo | TENER QUE + infinitivo | (NO) SE PUEDE + infinitivo |

Uso

1 **Hay que + infinitivo es invariable y sirve para expresar obligaciones generales, impersonales:**

- *Para entrar en la discoteca **hay que** pagar.*

2 **Tener que + infinitivo se usa para expresar obligaciones personales (de una persona o un grupo concreto de personas):**

- *No puedo salir, **tengo que** trabajar.*
- *Si quieres aprobar, **tienes que** estudiar más.*
- *Los niños **tienen que** dormir más de ocho horas al día.*

3 **Se puede + infinitivo se utiliza para pedir y dar permiso:**

- *¿**Se puede hablar** por el móvil?*

4 **No se puede + infinitivo indica prohibición:**

- *Aquí **no se puede** aparcar.*

Ejercicios

1. Relacione.

1. Delante de un STOP
2. Para ir a Cuba
3. Para estar sano
4. Una vez al año
5. En este restaurante
6. En el coche
7. Para ir a Canarias
8. Antes de cruzar una calle

| hay que |

a. sacar visado.
b. hacer ejercicio diariamente.
c. reservar mesa.
d. mirar a derecha e izquierda.
e. viajar en avión o en barco.
f. llevar siempre el cinturón de seguridad.
g. ir al dentista.
h. parar.

1- h.
2. _____
3. _____
4. _____
5. _____
6. _____
7. _____
8. _____

Aciertos: .... de 7

2. Complete con *tener que* en la forma correcta y con uno de los verbos.

llamar cambiarse estudiar hacer tener
sacar levantarse lavarse limpiar ir

1. *Tenemos que sacar dinero del banco. No tenemos nada en casa.*
2. Tienes el pelo muy largo, _____ a la peluquería.
3. Mañana tenemos mucho trabajo, _____ temprano.
4. No les grites a los niños, _____ paciencia con ellos.
5. Los cristales están muy sucios, (yo) los _____ esta tarde.
6. No funciona la ducha, (tú) _____ al fontanero.
7. _____ los verbos, si quieres aprender bien español.
8. Para entrar en la universidad, tú _____ un examen después del Bachillerato.
9. Jesús, antes de salir, _____ la cabeza y _____ de ropa.

Aciertos: .... de 9

3. Complete con *hay que* o *tener que* en la forma correcta.

1. *Lo siento, no puedo salir porque tengo que planchar un montón de ropa.*
2. *¿Tú crees que hay que llamar por teléfono antes de ir a casa de Lorenzo?*
3. ¿Qué _____ hacer el domingo? ¿Por qué no salís con nosotros?
4. Vamos, acuéstate ya, mañana vamos de viaje y _____ salir pronto.
5. Si quieres aprobar la Biología, _____ estudiar mucho más.
6. Antes de entrar, _____ llamar.
7. Para trabajar aquí, _____ presentar una solicitud y hacer un examen.
8. No debes perdértela, _____ verla, es una película buenísima.
9. Mamá, _____ pagar el recibo del gimnasio antes de fin de mes.

Aciertos: .... de 7

4. De la lista siguiente, diga qué cosas son obligatorias, cuáles están permitidas y cuáles prohibidas al despegar y aterrizar un avión.

> beber   comer chicle   pasear   comer   aparatos electrónicos
> **estar de pie**   hablar con el vecino
> abrocharse los cinturones   poner los asientos en posición vertical

No se puede estar de pie.
Hay que _____
_____
_____

No se puede _____
_____
_____

Se puede _____
_____
_____

Aciertos: .... de 7

5. Relacione las señales con su instrucción.

1. Hay que parar.
2. Hay que seguir recto.
3. Se puede adelantar.
4. No se puede girar a la derecha.
5. No se puede ir a más de 40 km/h.
6. No se puede adelantar.
7. Hay que ceder el paso.

1. - b
2. _____
3. _____
4. _____
5. _____
6. _____
7. _____

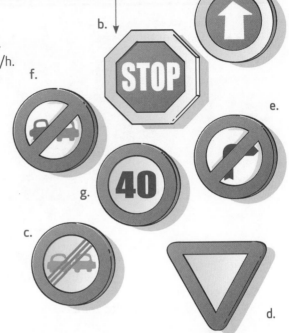

a.

b.

f.

e.

g.

c.

d.

Aciertos: .... de 6

6. Imagine seis señales de tráfico y explíquelas.

○ _____
○ _____
○ _____
○ _____
○ _____
○ _____
○ _____
○ _____

TEMA 18 TOTAL aciertos: .... de 36

Tema 19

LOS COMPARATIVOS

Mi bicicleta es mejor que la tuya.

No creo, la mía corre tanto como la tuya.

COMPARACIÓN

• De los adjetivos

María no es tan alta como su hermana.

Comparativos regulares				
más	+	adjetivo	+	que
menos	+	adjetivo	+	que
tan	+	adjetivo	+	como

Comparativos irregulares			
bueno, -a, -os, -as ⟶	mejor, mejores	+	que
malo, -a, -os, -as ⟶	peor, peores	+	que
grande, -es ⟶	mayor, mayores	+	que
pequeño, -a, -os, -as ⟶	menor, menores	+	que

• De los sustantivos

Ellos tienen tanto dinero como nosotros.

Verbo	+	más		+	sustantivo	+	que
Verbo	+	menos		+	sustantivo	+	que
Verbo	+	tanto/-a/-os/-as		+	sustantivo	+	como

• Adverbial

Mi hijo estudia tanto como el tuyo.

Verbo	+	más que
Verbo	+	menos que
Verbo	+	tanto como

1 Más... que **se usa para hacer comparaciones de superioridad.**

> ● *Mi hijo es **más** alto **que** el tuyo.*

2 Bueno, malo, grande y pequeño **tienen una forma especial para las comparaciones.**

> ● *Tu coche es **mejor** que el mío, corre más.*

3 Los adjetivos que tienen comparativos irregulares también se usan como regulares:

> ● *Mi piso es más pequeño que el tuyo.*
> ● *Estas manzanas son más buenas que las de ayer.*

4 Mayor y menor **se refieren a la importancia o a la edad, más que al tamaño:**

> ● *Tu autoridad es mayor que la mía.*
> ● *Alicia es menor que su hermana Concha.*

5 Menos... que **se usa para hacer comparaciones de inferioridad, aunque no se utiliza tanto, excepto si es con verbos.**

> ● *A mi me gusta menos este que ese otro.*

6 Cuando se comparan nombres, en las comparaciones de igualdad (igual cantidad de algo), tanto/-a/-os/-as **varía según el género de estos:**

> ● *Nadie tiene tanto dinero como él ni tanta suerte como tú.*
> ● *¿Alguien tiene tantos libros como ella?*
> ● *Poca gente tiene tantas plantas como yo.*

7 Cuando se compara un verbo, más, menos y tanto **son invariables:**

> ● *Yo estudio más que tú.*
> ● *Tú estudias menos que yo.*
> ● *Él estudia tanto como ella.*

8 Bien y mal **tienen comparativos irregulares:** mejor y peor.

> ● *Cantas mejor que nosotros.*
> ● *Cantáis peor que ellos.*

1. Diga lo mismo de otra manera, como el modelo.

1. *Cristina es más alta que yo.*   *Yó soy más baja que Cristina.*
2. Yo soy mayor que él.

_____

3. Él es más rubio que ella.

_____

4. Estos libros son mejores que aquellos.

_____

5. Estas casas son más modernas que aquellas.

_____

6. El búlgaro es más difícil que el francés.

_____

7. Una hormiga es más pequeña que una mosca.

_____

8. El pescado es más caro que la carne.

_____

9. Esta película es peor que la otra.

_____

10. El Hotel Continental es más grande que el Miramar.

_____

Aciertos: ....   de 9

2. Complete las frases con **tan** o con **tanto** en la forma correcta.

1. *Mi hermano es* tan alto *como el tuyo.*
2. Este coche no es _____ caro _____ este otro.
3. Mis hijos comen _____ carne _____ yo.
4. Yo no tengo _____ libros _____ mi padre.
5. No es necesario hablar _____ alto _____ la televisión.
6. Los españoles no comen _____ queso _____ los franceses.
7. Yo no compro _____ cosas _____ tú.
8. Tus zapatos son _____ viejos _____ los míos.
9. Yo no puedo correr _____ un atleta.
10. Alemania no es _____ grande _____ España.
11. Yo no gano _____ dinero _____ mi mujer.
12. Yo no tengo _____ plantas _____ mi vecino.
13. Mis hijos estudian _____ los tuyos.
14. Este vestido no es _____ bonito _____ aquel.

Aciertos: ....   de 13

3. Subraye la opción correcta.

    1. París es más grande que Madrid.
    2. Jaime no juega al fútbol tan bien *como/que* él piensa.
    3. Mis hijos no van al cine tanto *como/que* los tuyos.
    4. Tú comes tanto *como/que* yo.
    5. Tu habitación es un poco más grande *como/que* la mía.
    6. Aquel restaurante no es tan bueno *como/que* me dijeron.
    7. Vive tan cerca *como/que* yo.
    8. Trabajar es mejor *como/que* estar en paro.
    9. Mi hija ha crecido tanto *como/que* la vuestra.
    10. Vuestra hija ha crecido menos *como/que* la mía.

Aciertos: ....   de 9

4. Haga las comparaciones posibles.

    1. A es más grande que B y C.
      B es más grande que C.
      B es más pequeño que A.
      C no es tan grande como B.

Emilio, 23 años   Maite, 28 años   Alberto, 31 años

2. _____
_____
_____
_____

Hotel Playasol: Hotel Marimar: Hotel Imperio:
100 €/noche   40 €/noche   700 €/noche

3. _____
_____
_____
_____

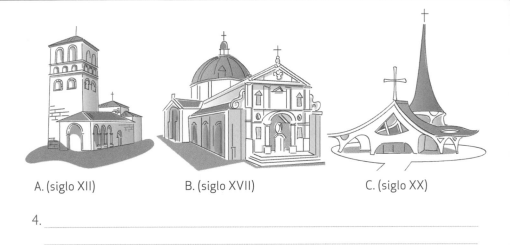

A. (siglo XII)   B. (siglo XVII)   C. (siglo XX)

4. _____
_____
_____
_____

Aciertos: .... de 3

5. Escriba diez frases acerca de Belén y Antonio, haciendo comparaciones entre ellos.

Belén	Antonio
1. Tengo 32 años.	Tengo 36 años.
2. Mido 1.60.	Mido 1.65.
3. Peso 57 kg.	Peso 73 kg.
4. Trabajo 4 horas/día.	Trabajo desde las 7:30 hasta las 15:30.
5. Soy muy elegante.	No soy muy elegante.
6. No me gusta mucho el cine.	Me gusta el cine.
7. Leo poco.	Leo el periódico y novelas.
8. Hablo inglés y francés.	Hablo inglés.
9. Gano poco dinero.	Gano bastante dinero.
10. Voy a la discoteca todos los sábados.	Voy a la discoteca los viernes y los sábados.

1. *Belén es más joven que Antonio.*
2. Antonio es _____
3. _____
4. _____
5. _____
6. A Belén _____
7. _____
8. _____
9. _____
10. _____

Aciertos: .... de 9

6. Forme frases comparativas con los datos que le damos.

> *1. Madrid tiene 4 millones de habitantes; Barcelona, 3,5.*
> *Madrid tiene más habitantes que Barcelona.*
> 2. Yo trabajo de 8:00 a 14:00 y Ana, de 15:00 a 22:00.
>
> _____
> 3. Mi marido pesa 70 kg y su hermano, 82 kg.
>
> _____
> 4. Luisa duerme siete horas diarias y Pepita, ocho.
>
> _____
> 5. Este coche gasta siete litros de gasolina/100 km y aquel, siete y medio.
>
> _____
> 6. Este libro tiene 600 páginas, y aquel también.
>
> _____

Aciertos: .... | de 5

7. Compare estos dos dibujos y escriba algunas frases sobre ellos.

_____
_____
_____
_____
_____
_____
_____
_____
_____
_____

TEMA 19 | TOTAL **aciertos:** .... | de 48

Tema 20

EL PERFECTO COMPUESTO

¿Sabes? Este fin de semana he conocido a un chico guapísimo.

¿Quién ha abierto la ventana?

PRETÉRITO PERFECTO COMPUESTO { Presente de *HABER* + participio

Presente de *HABER*

(yo)	he
(tú)	has
(él, ella, usted)	ha
(nosotros/-as)	hemos
(vosotros/-as)	habéis
(ellos/-as, ustedes)	han

Participio

Participios regulares

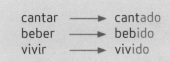

cantar	⟶	cantado
beber	⟶	bebido
vivir	⟶	vivido

Participios irregulares

ser	⟶	sido
ver	⟶	visto
poner	⟶	puesto
escribir	⟶	escrito
abrir	⟶	abierto
volver	⟶	vuelto
hacer	⟶	hecho
romper	⟶	roto
decir	⟶	dicho

Pretérito perfecto compuesto

(yo)	he	cantado
(tú)	has	cantado
(él, ella, usted)	ha	cantado
(nosotros/-as)	hemos	cantado
(vosotros/-as)	habéis	cantado
(ellos/-as, ustedes)	han	cantado

Uso

1 El pretérito perfecto compuesto (también llamado pretérito perfecto) expresa a veces un pasado muy reciente. Se usa con marcadores temporales como hoy, esta mañana, este verano, este fin de semana, hace un rato, etc.:

- *Hoy no **he visto** a mi hermana.*
- *Este verano **hemos estado** en Marbella.*

2 También se usa sin marcador temporal y expresa un pasado sin determinar:

- ***He perdido** el reloj, no sé dónde.*
- *¿Cuándo **ha llegado** la carta?*

3 Se usa para preguntar (e informar) sobre experiencias personales, con marcadores como ya, todavía no, alguna vez, nunca, etc.:

- *¿**Has estado** alguna vez en América del Sur?*
- *María se **ha casado** tres veces.*

1. Escriba los participios de los siguientes verbos (regulares e irregulares).

1. Ver   *visto*
2. Escribir   _____   10. Volver   _____
3. Venir   _____   11. Abrir   _____
4. Limpiar   _____   12. Empezar   _____
5. Terminar   _____   13. Cerrar   _____
6. Cambiar   _____   14. Romper   _____
7. Comer   _____   15. Hacer   _____
8. Poner   _____   16. Decir   _____
9. Perder   _____   17. Caerse   _____

Aciertos: ....   de 16

2. Siga el modelo.

1. Salir (ellos)   *han salido*
2. Poner (vosotros)   _____
3. Escribir (ella)   _____
4. Leer (yo)   _____
5. Volver (Juan)   _____
6. Venir (usted)   _____
7. Abrir (ellos)   _____
8. Lavarse (él)   _____
9. Romper (ella)   _____
10. Levantarse (tú)   _____
11. Cerrar (yo)   _____
12. Trabajar (nosotros)   _____
13. Vivir (tú)   _____
14. Limpiar (tú y yo)   _____
15. Estudiar (vosotros)   _____
16. Poner (él y tú)   _____
17. Ver (ustedes)   _____

Aciertos: ....   de 16

3. Forme las frases.

1. Los niños / comer / ya   *Los niños ya han comido.*
2. La clase / terminar / todavía no   *La clase todavía no ha terminado.*
3. Ellos / acostarse / ya

_____

4. Ana / escribir el informe / ya

_____

5. Andrés / volver a casa / todavía no

_____

6. El autobús / pasar / ya

_____

7. Nosotros / cenar / todavía no

_____

8. Juan y yo / hacer los deberes / todavía no

_____

9. Julio / poner la tele / ya

_____

10. La película / empezar / ya

_____

Aciertos: .... de 8

4. Complete con un verbo en la forma correcta.

ver	tener	ir	caerse	perder	ser
comprar	estar	costar	**abrir**	decir	

1. ¿Quién _ha abierto_ la ventana de la cocina?
2. Elena _____ el paraguas otra vez.
3. Este verano (nosotros) _____ en Marbella de vacaciones.
4. ¡Mamá! Pilar _____ por las escaleras.
5. En la radio (ellos) _____ que mañana llueve.
6. ¿Dónde te _____ ese vestido? Es muy bonito.
7. ¿Cuánto te _____ el equipo de música?
8. Esta mañana _____ a Andrés en la parada del autobús.
9. Hoy (nosotros) _____ mucho trabajo.
10. • ¿Está tu mujer en casa?
     • No, _____ a trabajar.
11. La película de hoy _____ muy bonita.

Aciertos: .... de 10

5. Forme preguntas como el modelo.

1. _Escribir las postales._   _¿Has escrito ya las postales?_
2. Hacer los deberes.   ¿_____?
3. Ver esa película.   ¿_____?
4. Terminar.   ¿_____?
5. Comer.   ¿_____?
6. Llamar por teléfono.   ¿_____?
7. Estar en París.   ¿_____?
8. Poner la lavadora.   ¿_____?
9. Comprar el pan.   ¿_____?
10. Leer el periódico.   ¿_____?
11. Desayunar.   ¿_____?
12. Ir al supermercado.   ¿_____?

Aciertos: .... de 11

6. Forme preguntas con la forma *usted.*

1. *Escribir las postales*   ¿Ha escrito ya las postales?
2. Hacer los deberes. ¿_____?
3. Ver esa película. ¿_____?
4. Terminar. ¿_____?
5. Comer. ¿_____?
6. Llamar por teléfono. ¿_____?
7. Estar en París. ¿_____?
8. Poner la lavadora. ¿_____?
9. Comprar el pan. ¿_____?
10. Leer el periódico. ¿_____?
11. Desayunar. ¿_____?
12. Ir al supermercado. ¿_____?

Aciertos: .... **de 11**

7. Complete según el modelo.

Todos los días	**Hoy**
1. *Me levanto a las 7:00.*	*Me he levantado a las 8:00.*
2. Desayuno café.	_____ té.
3. Me ducho con agua fría.	_____ con agua caliente.
4. _____	He salido de casa a las 8.
5. Leo el periódico.	_____ una revista.
6. Veo a mis compañeros.	No los _____.
7. _____	He comido en una cafetería.
8. Vuelvo en metro del trabajo.	_____ en taxi.
9. _____ ocho horas.	He trabajado seis horas.

Aciertos: .... **de 8**

8. Complete con el verbo en la forma correcta del presente o del pretérito perfecto compuesto.

1. • ¿(Ver, tú) Has visto la última película de Saura?   • No, todavía no.
2. Todos los domingos _____ con los niños a la Casa de Campo, pero este domingo _____ en casa. (salir, quedarse, nosotros)
3. Yo siempre _____ después de comer, pero hoy no _____. (acostarse, poder)
4. • Normalmente, ¿cuándo _____ la compra? (hacer, tú)
   • Depende. Casi siempre la _____ los viernes por la tarde. (hacer)
5. • ¿A qué hora _____? (levantarse, tú)
   • A las 7:00. Pero hoy _____ a las 8:00. (levantarse, yo)
6. • ¿Dónde _____ este verano? (estar, usted)
   • _____ en la playa. (Estar, yo)

7. • ¿_____ alguna vez en el Carnaval de Río? *(Estar, usted)*
   • No, nunca. Pero _____ varias veces en el de Cádiz. *(estar, yo)*
8. • ¿Por qué no _____ a comer a casa hoy? *(venir, tú)*
   • Porque _____ un bocadillo con Andrés. *(comer, yo)*
9. Generalmente, los españoles _____ muy tarde. *(cenar)*
10. • Y vosotros, ¿qué _____ los domingos? *(hacer)*
    • Bueno, muchas cosas, _____ mucho, _____ a correr
      al parque, _____ a algunos amigos, y _____ con
      ellos a algún sitio. *(dormir, ir, llamar, salir)*
11. ¿Quién _____ mi reloj? *(romper)*
12. • ¿Qué _____ este fin de semana? *(hacer, usted)*
    • Nada especial, _____ y _____ *(descansar, leer, yo)*

Aciertos: .... de 24

9. Prepare preguntas como en el modelo.

1. *Probar la comida japonesa.*
   ¿Has probado alguna vez la comida japonesa?
2. Subir en un avión. _____
3. Estar en Nueva York. _____
4. Trabajar de camarero. _____
5. Dormir en un parque. _____
6. Escribir poesías. _____

Aciertos: .... de 5

10. Haga las mismas preguntas con *usted*.

1. *Probar la comida japonesa.*
   ¿Ha probado alguna vez la comida japonesa?
2. Subir en un avión. _____
3. Estar en Nueva York. _____
4. Trabajar de camarero. _____
5. Dormir en un parque. _____
6. Escribir poesías. _____

Aciertos: .... de 5

11. Escriba una lista de algunas cosas que no ha hecho nunca.

Yo no he viajado en globo nunca.

_____   _____
_____   _____

Tema 21

LOS PRONOMBRES *LO, LA, LE...*

¡Qué claveles
tan bonitos!
¿Quién te los
ha traído?

Pronombres de objeto directo

	Singular	Plural
1.ª persona	me	nos
2.ª persona	te	os
3.ª persona	lo, (le) / la	los, (les) / las

Pronombres de objeto indirecto

	Singular	Plural
1.ª persona	me	nos
2.ª persona	te	os
3.ª persona	le (se)	les (se)

Uso

1 La función de los pronombres personales es sustituir al nombre para evitar su repetición:

- *Lleva el libro a clase; llévalo (= lleva el libro), por favor.*
- *Juan quiere un libro y yo **se lo** doy (=doy el libro a Juan)*

2 Los pronombres de objeto directo e indirecto van antes del verbo, excepto cuando el verbo va en imperativo, infinitivo o gerundio, que van detrás:

- ¿Has visto a mi madre?
- No, no **la** he visto.

- ¿**Te** ha dado el dinero Rosa?
- No, no **me lo** ha dado.

- ¡Dá**melo**!
- ¿Quieres dár**melo**?

- ¿**Le** has dado la merienda al niño?
- No, estoy dándo**sela** ahora.

También se puede decir:
- No, **se la** estoy dando ahora.

3 Cuando es necesario utilizar los dos pronombres (o. directo y o. indirecto), el indirecto va primero:

- ¿**Te** han dado ya los resultados del análisis?
- No, todavía no **me los** han dado.
(OI) (OD)

4 Cuando al pronombre le (objeto indirecto) le sigue uno de los objetos directos (lo, la, los, las), el primero se convierte en se:

- ¿**Le** has devuelto las llaves al portero?
- No, todavía no **le las** he devuelto.   No, todavía no **se las** he devuelto.

5 En español muchas veces se repite dos veces el pronombre objeto indirecto.

- ¿Te ha dado Rosa el dinero?
- No, **a mí** no **me** lo ha dado.

- **Les** presento **a ustedes** a mi novia.
- **A ti te** queda muy bien el color rojo.
- ¿**Le** has dicho **al médico** la verdad?

6 El pronombre masculino de objeto directo de 3.ª persona es lo/los, pero se admite le, y muy excepcionalmente les, cuando se refiere a personas:

- Yo **a Ramiro lo** quiero mucho.
- **A mis sobrinos los** quiero muchísimo.

Pero también:
- Yo **a Ramiro le** quiero mucho.
- **A mis sobrinos les** quiero muchísimo.

1. Formule la pregunta como en el ejemplo. Utilice los pronombres *lo, la, los, las*.

> *1. Yo no conozco a esas chicas,*
>   *¿tú las conoces?*
> 2. Yo no conozco a aquellos hombres,
>   ¿tú _____?
> 3. Nosotros no conocemos a la mujer de Juan,
>   ¿vosotros _____?
> 4. Yo no conozco a la directora,
>   ¿vosotros _____?
> 5. Julia todavía no conoce a su nuevo profesor,
>   ¿tú _____?
> 6. Mi hermana no conoce a esos artistas,
>   ¿tu hermano _____?
> 7. Yo no conozco a las vecinas del tercero,
>   ¿tú _____?
> 8. Yo no conozco al de la moto,
>   ¿tú _____?

Aciertos: .... de 7

2. Complete según el modelo.

	Sujeto	Objeto directo	Objeto indirecto
1.	yo	me	me
	tú	te	_____
	_____	lo	le / se
	ella	_____	_____
	usted	lo	_____
	nosotros	nos	_____
	_____	os	_____
	ellos	_____	les / se
	ellas	las	_____
	ustedes	_____	_____

Aciertos: .... de 12

3. Conteste a las preguntas utilizando los pronombres de objeto directo (*lo, la, los, las*).

> 1. • *¿Has terminado los ejercicios?*
>   • *No, estoy terminándolos.*
> 2. • ¿Ya has arreglado la bicicleta?
>   • _____
> 3. • ¿Ya has leído el periódico de hoy?
>   • _____

4. • ¿Ya has regado las plantas?

  • _____

5. • ¿Ya has encendido la calefacción?

  • _____

6. • ¿Ya has preguntado el horario de los trenes?

  • _____

7. • ¿Ya has pasado a ordenador la traducción?

  • _____

8. • ¿Ya has llamado a tu jefe?

  • _____

Aciertos: .... de 7

4. Conteste como en el ejemplo.

1. • *¿Le has dado el libro a él?*
   • *Sí, ya se lo he dado.*
2. • ¿Le has dado las fotos a él?

  • _____

3. • ¿Le has dado la revista a él?

  • _____

4. • ¿Le has dado las gafas a ella?

  • _____

5. • ¿Le has dado la carta a ella?

  • _____

6. • ¿Les has dado la cena a los niños?

  • _____

7. • ¿Le has traído el abrigo a ella?

  • _____

8. • ¿Les has llevado el pan a los vecinos?

  • _____

9. • ¿Me has traído el libro?

  • _____

10. • ¿Me has traído todas mis cosas?

  • _____

11. • ¿Os ha dado el libro María?

  • _____

12. • ¿Os ha traído la comida el camarero?

  • _____

Aciertos: .... de 11

5. Conteste a las preguntas utilizando los pronombres personales correspondientes.

1. • *¿Le has dado las llaves al portero?*
   • *Sí, ya se las he dado.*
2. • ¿Les has comprado los zapatos a los niños?

  • _____

3. • ¿Le has devuelto el coche a tu abuelo?
   • _____

4. • ¿Me has traído la compra?
   • _____

5. • ¿Le has dicho a Roberto la verdad?
   • _____

6. • ¿Te ha explicado Juana lo que pasó?
   • _____

7. • ¿Te han dado cita para el médico?
   • _____

8. • ¿Os ha leído papá el cuento?
   • _____

9. • ¿Le has devuelto a Rocío los 60 euros?
   • _____

10. • ¿Tu madre te ha preparado la cena?
   • _____

Aciertos: .... de 9

6. Ahora haga el mismo ejercicio, pero contestando negativamente.

1. *¿Le has dado las llaves al portero?*
   No, voy a dárselas.

2. • ¿Les has comprado los zapatos a los niños?
   • _____

3. • ¿Le has devuelto el coche a tu abuelo?
   • _____

4. • ¿Me has traído la compra?
   • _____

5. • ¿Le has dicho a Roberto la verdad?
   • _____

6. • ¿Te ha explicado Juana lo que pasa?
   • _____

7. • ¿Te han dado cita para el médico?
   • _____

8. • ¿Os ha leído papá el cuento?
   • _____

9. • ¿Le has devuelto a Rocío los 60 euros?
   • _____

10. • ¿Tu madre te ha preparado la cena?
   • _____

Aciertos: .... de 9

7. Complete los huecos.

1. • *¡Qué pendientes tan bonitos!, ¿quién te los ha regalado?*
   • *¿Te gustan?, me los ha regalado mi novio.*
2. • ¡Qué equipo de música tan bueno! ¿Dónde _____ has comprado?
   • Sí, es estupendo. _____ he comprado en Andorra.
3. • ¡Qué collar tan fino! ¿Quién _____ ha regalado?
   • Sí, es muy bonito. _____ ha regalado mi madre.
4. • ¡Qué zapatos tan elegantes llevas! ¿Dónde _____ has comprado?
• Sí, son bonitos, _____ he comprado en París.

Aciertos: .... | de 6

8. En cada frase falta un pronombre de los del cuadro. Vuelva a escribirla con el pronombre en el lugar correspondiente.

nos (2)	lo (2)	les	los	te	me	la	las

1. • *¿Has visto a Víctor?*
   • *Sí, he visto esta mañana en clase.*
     Sí, lo he visto esta mañana en clase.
2. Jaime, trae otra servilleta, por favor.

   _____
3. Camarero, a mi mujer y a mí ponga dos cafés, por favor.

   _____
4. Este abrigo me gusta mucho. Me llevo.

   _____
5. He comprado una moto nueva. ¿Quieres ver?

   _____
6. ¿Has dicho a los vecinos que nos vamos de vacaciones?

   _____
7. Hijo, estamos hablando contigo, ¿quieres escuchar?

   _____
8. ¡Qué bolso tan bonito! ¿Cuánto ha costado?

   _____
9. • ¿Quiénes son esos?
   • Ni idea, no conozco.

   _____
10. • ¿Has comprado las entradas para el circo?
    • No, compraré esta tarde.

   _____

Aciertos: .... | de 9

TEMA 21 | TOTAL aciertos: .... | de 70

Tema 22

EL PERFECTO SIMPLE REGULAR

Verbos regulares: pretérito perfecto simple

	hablar	*comer*	*vivir*
(yo)	hablé	comí	viví
(tú)	hablaste	comiste	viviste
(él, ella, usted)	habló	comió	vivió
(nosotros, -as)	hablamos	comimos	vivimos
(vosotros, -as)	hablasteis	comisteis	vivisteis
(ellos/-as, ustedes)	hablaron	comieron	vivieron

Uso

1 El pretérito perfecto simple, o indefinido, se usa cuando queremos expresar una acción pasada en un tiempo terminado. Puede ser una acción repetida o durativa:

- *El año pasado **vi** muchas veces a tu hermano.*
- *Isabel **vivió** en Alemania más de 20 años.*

2 Se usa en las biografías para enumerar hechos:

- *Víctor **trabajó**, **se casó**, y **vivió** en Sevilla.*

3 Se usa con marcadores temporales como ayer, la semana pasada, el año pasado, en abril, el lunes pasado, en 1945, hace tres meses, etc.:

- *La semana pasada **vi** a tu hermano en el teatro.*

Ejercicios

1. Complete según el modelo.

1. *Tomar*	*tomé*	*tomó*	*tomaste*
2. Beber			
3. Escribir			
4. Salir			
5. Casarse			
6. Nacer			
7. Vivir			
8. Terminar			
9. Ayudar			
10. Recibir			
11. Ver			
12. Subir			
13. Comprar			
14. Vender			

Aciertos: .... de 13

2. Siga el modelo.

1. *Ayer / escribir / unas cartas*   *Ayer escribí unas cartas.*
2. El domingo / ver / una película de Harrison Ford

3. La semana pasada / hablar / con José Manuel

4. Anoche / cenar / con mis padres

5. El año pasado / pasar las vacaciones / en Grecia

6. El lunes / salir / con Juan Antonio

7. Anoche / trabajar / demasiado

8. En 1989 / comprar / una casa en la playa

9. El sábado / comer / en un restaurante tailandés

10. Ayer / no estudiar / español

11. El año pasado / viajar / a México

12. Anteayer / recibir / un paquete

Aciertos: .... de 11

3. Haga lo mismo en 3.ª persona del singular.

1. *Ayer / escribir / cartas*   *Ayer escribió unas cartas.*
2. El domingo / ver / película de Harrison Ford

3. La semana pasada / hablar / José Manuel

4. Anoche / cenar / mis padres

5. El año pasado / pasar las vacaciones / Grecia

6. El lunes / salir / Juan Antonio

7. Anoche / beber / demasiado

8. En 1989 / comprar / casa en la playa

9. El sábado / comer / restaurante tailandés

10. Ayer / no estudiar / español

11. El año pasado / viajar / a México

12. Anteayer / recibir / un paquete

Aciertos: ....   de 11

4. Complete con el pretérito perfecto simple.

Normalmente...	... pero ayer
1. *M.ª José viaja en metro,*	*viajó el autobús.*
2. Ellos se levantan temprano,	_____ a las 10:00.
3. Mi tía no me regala nada,	_____ un paraguas.
4. Salimos con los amigos,	no _____
5. Me ducho por la mañana,	_____ por la tarde.
6. Salgo de casa a las 8.30,	_____ a las 8:00.
7. Compramos en el mercado,	_____ en el supermercado.
8. Mi jefe no duerme mucho,	_____ bastante.
9. Ana come en casa,	_____ en una cafetería.
10. Llegan a clase tarde,	_____ a tiempo.

Aciertos: ....   de 9

5. Complete las frases con el verbo adecuado del recuadro en pretérito perfecto simple.

> limpiar vivir **acabar** abrir nacer conocerse
> llamar **empezar** comprar ganar

1. *El concierto empezó a las 10 y acabó a la una de la madrugada.*
2. Mi primer hijo _____ en 1985.
3. Camilo J. Cela _____ el Premio Nobel de Literatura en 1989.
4. Andrés y Maribel _____ en la Fiesta Mayor de Las Navas.
5. ¿Dónde _____ (vosotros) esa mesa? Es muy bonita.
6. Antes de venir aquí, (nosotros) _____ mucho tiempo en Austria.
7. Yo _____ la ventana anoche.
8. ¿Quién _____ ayer mi mesa? Estoy buscando un papel y no lo encuentro.
9. ¿Quién _____ por teléfono anoche?

Aciertos: .... de 8

6. Observe el ejemplo. El verbo está en presente y usted debe escribir la misma persona en pretérito perfecto simple.

1. *Lloro*   *lloré*
2. Gritan   _____
3. Pasamos   _____
4. Comprende   _____
5. Viajáis   _____
6. Abres   _____
7. Miran   _____
8. Ganáis   _____
9. Se levanta   _____
10. Llevan   _____

Aciertos: .... de 9

7. ¿Qué hizo usted el domingo pasado? La respuesta puede ser afirmativa o negativa.

1. *Despertarme antes de las 8:00.*   *Me desperté antes de las 8:00.*
                                      No me desperté antes de las 8:00.

2. Comprar un libro.   _____
3. Hablar español.   _____
4. Correr por el parque.   _____
5. Comer paella.   _____
6. Limpiar la habitación.   _____
7. Recoger la cocina.   _____
8. Salir con los amigos.   _____
9. Tomar el aperitivo.   _____
10. Chatear por Internet.   _____

Aciertos: .... de 9

TEMA 22   TOTAL aciertos: .... de 70

Tema 23

Ya mayor vino a España y murió aquí.

Fue una escritora muy famosa. Hizo muchos viajes, incluso fue al Polo Norte.

Los pretéritos perfectos simples de los verbos irregulares más frecuentes son:

	Singular			Plural		
	(yo)	(tú)	(él, ella, usted)	(nosotros/-as)	(vosotros/-as)	(ellos/-as, ustedes)
dar	di	diste	dio	dimos	disteis	dieron
decir	dije	dijiste	dijo	dijimos	dijisteis	dijeron
estar	estuve	estuviste	estuvo	estuvimos	estuvisteis	estuvieron
hacer	hice	hiciste	hizo	hicimos	hicisteis	hicieron
ir	fui	fuiste	fue	fuimos	fuisteis	fueron
leer	leí	leíste	leyó	leímos	leísteis	leyeron
morir	morí	moriste	murió	morimos	moristeis	murieron
pedir	pedí	pediste	pidió	pedimos	pedisteis	pidieron
poder	pude	pudiste	pudo	pudimos	pudisteis	pudieron

	Singular			Plural		
	(yo)	(tú)	(él, ella, usted)	(nosotros/ -as)	(vosotros/ -as)	(ellos/-as, ustedes)
poner	puse	pusiste	puso	pusimos	pusisteis	pusieron
querer	quise	quisiste	quiso	quisimos	quisisteis	quisieron
saber	supe	supiste	supo	supimos	supisteis	supieron
ser	fui	fuiste	fue	fuimos	fuisteis	fueron
tener	tuve	tuviste	tuvo	tuvimos	tuvisteis	tuvieron
venir	vine	viniste	vino	vinimos	vinisteis	vinieron

Igual que leer ⟶	construir	destruir		
Igual que pedir ⟶	servir	sentir	seguir	
Igual que decir ⟶	conducir (conduje...)	producir (produje...)	traer (traje...)	traducir (traduje...)

Uso

1. No debe confundirse fui (de ir) con fui (de ser). Un marcador de dirección, por ejemplo, la preposición a, lo identifica como pretérito perfecto simple de ir:

- *Ayer **fueron** todos a clase de español.*
- *En esa batalla todos **fueron** muy valientes.*

2. Los verbos compuestos se conjugan como los simples, por ejemplo, proponer, reponer, etc., se conjugan como poner:

- *Jaime **propuso** ir al cine.*

1. Escriba el verbo en infinitivo.

1.	*Ir*	*fui*
2.	_____	dije
3.	_____	vine
4.	_____	pude
5.	_____	estuve
6.	_____	hice
7.	_____	llegué
8.	_____	traje
9.	_____	tuve
10.	_____	di
11.	_____	pidieron
12.	_____	pusimos
13.	_____	leyó
14.	_____	quise
15.	_____	supo
16.	_____	murió
17.	_____	propuso
18.	_____	conduje

Aciertos: ………   de 17

2. Siga el ejemplo.

1. *Traer*	*nosotros trajimos*
2. Pedir, (él)	_____
3. Sentir, (yo)	_____
4. Poner, (ellos)	_____
5. Morir, (él)	_____
6. Traer, (usted)	_____
7. Decir, (ustedes)	_____
8. Seguir, (ella)	_____
9. Traducir, (yo)	_____
10. Conducir, (yo)	_____
11. Saber, (vosotros)	_____
12. Leer, (ellos)	_____
13. Construir, (él)	_____
14. Venir, (él)	_____
15. Venir, (ellos)	_____
16. Decir, (yo)	_____
17. Producir, (ellos)	_____
18. Querer, (ella)	_____
19. Servir, (él)	_____
20. Poner, (nosotros)	_____

Aciertos: ………   de 19

3. Forme frases en pretérito perfecto simple con los siguientes elementos.

1. *Picasso / nacer / en Málaga*
   Picasso nació en Málaga.
2. Gaudí / construir / La Sagrada Familia / de Barcelona

3. Charles Chaplin / morir / en Suiza

4. Edison / descubrir / la electricidad

5. Beethoven / componer / la *Novena Sinfonía*

6. Cervantes / escribir / *El Quijote*

7. Franco / morir / en 1975

8. La 2.ª Guerra Mundial / empezar /en 1939 / y terminar / en 1945

9. Salvador Dalí / ser / un pintor español

10. Simón Bolívar / conducir / Venezuela a la independencia

11. Gabriela Mistral / querer / cambiar la educación en Chile

12. Cortázar / traducir / libros al francés

Aciertos: .... de 11

4. Forme preguntas como en el ejemplo.

1. *Ir a clase.*
   ¿Fuiste a clase?
2. Pedir la cuenta.
3. Poner la lavadora.
4. Tener hijos.
5. Traer la ropa sucia.
6. Poder llamar a Concha.
7. Hacer la compra.
8. Dar propina.
9. Despedir a Andrés.
10. Ver la película.

Aciertos: .... de 9

5. Y ahora haga las preguntas con *usted*.

1. *Ir a clase.*
   ¿Fue a clase?
2. Pedir la cuenta.
3. Poner la lavadora.
4. Tener hijos.
5. Traer la ropa sucia.
6. Poder llamar a Concha.
7. Hacer la compra.
8. Dar propina.
9. Despedir a Andrés.
10. Ver la película.

Aciertos: .... de 9

6. Siga el ejemplo.

1. *Él ha construido un puente.*
   Él construyó un puente.
2. El camarero ha servido las bebidas.

3. Yo he pedido la cuenta.

4. Los niños han roto la impresora.

5. El médico no ha venido.

6. La fábrica ha producido muchos coches.

7. Nosotras no hemos traducido eso.

8. ¿Qué ha dicho usted?

9. Yo he conducido el coche hasta Madrid.

10. ¿Cuándo ha muerto ella?

11. ¿Qué han leído?

12. ¿Dónde has puesto mi móvil?

13. ¿Qué ha pedido él?

14. Han venido del campo de fútbol.

15. No he sabido contestar.

16. ¿No ha leído usted el periódico?

17. Ellos han muerto en la guerra.

18. ¿Quién te ha traído?

19. ¿Quién ha venido?

20. Nosotros hemos puesto las flores en el jarrón.

21. Ustedes han hecho un trabajo muy bueno.

22. No me has dado mi regalo.

23. ¿Cuántos libros has comprado?

Aciertos: .... de 22

7. Complete las frases con el verbo adecuado.

> **decir** poder leer llegar ponerse
> estar morir ir hacer venir

1. *El testigo no dijo toda la verdad.*
2. El lunes por la noche, (nosotros) _____ al teatro.
3. • ¿Qué (tú) _____ para la fiesta?
   • El traje azul marino.
4. No te llamé por teléfono porque no _____
5. El mes pasado ellos _____ en Londres.
6. Luis y Ángela no _____ a mi boda.
7. Mi hija _____ *El Quijote* con 10 años.
8. Mi marido ayer _____ la comida.
9. El lunes _____ tarde a clase.
10. Hace dos años _____ su madre.

Aciertos: .... de 9

TEMA 23   TOTAL aciertos: .... de 96

Tema 24

EL PERFECTO COMPUESTO Y SIMPLE

¿**Qué** has hecho este fin de semana?

El sábado fui a la discoteca, pero el domingo no salí, me quedé en casa.

• Recuerde los temas 20, 22 y 23.

Pretérito perfecto compuesto	Pretérito perfecto simple	
	Verbos en -ar	-er / -ir
he has ha hemos habéis han + Participio	+ -é -aste -ó -amos -asteis -aron	-í -iste -ió -imos -isteis -ieron

1 Los marcadores temporales condicionan el uso del pretérito perfecto compuesto o del simple:

- *Últimamente **he ido** mucho al cine.*
- *El domingo pasado **me encontré** con Luis en el cine.*
- *Este fin de semana no **he salido**.*
- ***Estuve** en Brasil hace mucho tiempo.*

2 Ya y todavía son marcadores que suelen acompañar al pretérito perfecto compuesto:

- *¿**Ha llegado** ya tu padre?*
- *No, no **ha llegado** todavía.*

3 Cuando no aparece ningún marcador temporal, se suele utilizar el pretérito perfecto compuesto:

- *¿**Has visto** mis fotos?*
- *Victoria **ha cambiado** de trabajo.*

4 Observe en estos microdiálogos el uso contrastado del pretérito perfecto compuesto y el simple:

1

¿Quién me ha llamado por teléfono estos días?

Pues el lunes te llamó Pepe, ayer llamó Natalia y hoy ha llamado Mario.

2

Mira, te he comprado este bolso.

¡Pero si me compré uno nuevo la semana pasada!

3

¡Qué barbaridad! Anteayer perdí el cuaderno, ayer perdí el diccionario y...

¡A ver! ¿Qué has perdido hoy?

1. Conteste a las preguntas con el tiempo adecuado.

1. • ¿Has visto la última película de Almodóvar?
   • Sí, la *vi* la semana pasada.
2. • ¿Has estado alguna vez en Canarias?
   • Sí, _____ allí hace tres años.
3. • ¿Has probado el pescado crudo?
   • Sí, lo _____ cuando _____ Japón, el año pasado.
4. • ¿Has hecho algún curso de fotografía?
   • Sí, _____ uno cuando era joven.
5. • ¿Has llamado a tu madre por teléfono?
   • Hoy no, la _____ el domingo.
6. • ¿Has hecho la comida?
   • Sí, la _____ anoche.

Aciertos: .... | de 6

2. Diga si los tiempos subrayados le parecen correctos. Si no, escriba el adecuado.

1. Nosotros *hemos vivido* en Colombia en 2019.
   Incorrecto: vivimos.
2. ¿*Has recibido* alguna carta hoy?
   _____
3. ¿A qué hora *has terminado* de trabajar?
   _____
4. • ¿Dónde está Juan?
   • *Fue* al cine.
   _____
5. Esta noche no *he podido* dormir nada.
   _____
6. Esta mañana *me levanté* tarde.
   _____
7. ¿*Visteis* a María el domingo en la fiesta?
   _____
8. Últimamente *vi* muchas películas.
   _____
9. Estas vacaciones *fui* a Escocia.
   _____
10. Hace tres meses *hemos visto* una exposición de pintura muy buena.
    _____
11. El lunes pasado no *fueron* a trabajar.
    _____
12. Hace dos horas *he visto* un accidente horrible de coche.
    _____

Aciertos: .... | de 11

110

3. Escriba en el hueco el verbo correspondiente en pretérito perfecto compuesto o simple.

1. *España ha cambiado mucho en los últimos años. (cambiar)*
2. Hoy _____ a Andrea y _____ un montón. *(ver, adelgazar)*
3. M. Vázquez Montalbán es escritor. _____ varias novelas policíacas. *(Escribir)*
4. Anoche _____ a casa muy tarde. *(volver, nosotros)*
5. Mi padre _____ en Alemania mucho tiempo cuando era joven. *(vivir)*
6. Sr. González, ¿por qué _____ tarde esta vez? *(llegar)*
7. El año pasado _____ las vacaciones en Grecia. *(pasar, nosotros)*
8. Loli _____ su trabajo de peluquera el mes pasado. *(dejar)*
9. Hoy _____ al mercado y _____ carne y pescado. *(ir,- comprar, nosotros)*
10. Alejandro no _____ al teatro desde hace años. *(ir)*
11. Yo nunca _____ a una chica como ella, es maravillosa. *(conocer)*
12. ¿_____ mi carta? *(Recibir)*
13. Tomás es periodista y _____ por todo el mundo. *(viajar)*
14. ¿Vosotros nunca _____ de vuestro país? *(salir)*
15. Pepito está muy alto. ¡Cómo _____! *(crecer)*
16. Mi abuelo _____ hace poco tiempo. *(morir)*
17. Isabel ya _____ tres veces. *(casarse)*
18. Mozart _____ y _____ en Viena. *(vivir, morir)*
19. Mi familia siempre _____ en este barrio. *(vivir)*
20. Este año la cosecha de uva _____ mala. *(ser)*

Aciertos: .... | de 22

4. Piense en cinco actividades que ya ha realizado hoy y en otras cinco que todavía no ha realizado (y que piensa hacer).

Ya he ido a clase de español.   *Todavía no he podido leer el periódico.*

1. _____   _____
2. _____   _____
3. _____   _____
4. _____   _____
5. _____   _____
6. _____   _____
7. _____   _____
8. _____   _____

TEMA 24 | TOTAL **aciertos**: .... | de 39

Tema 25

EL IMPERATIVO

Imperativo

- Solo tiene cinco personas, porque no tiene la 1.ª del singular.
- La 2.ª persona del singular (tú) es igual que la 3.ª persona del singular del presente de indicativo.
- La 2.ª persona del plural (vosotros/-as) se forma cambiando por -d la -r del infinitivo.
- Las demás personas son realmente del presente de subjuntivo.

Imperativo (verbos regulares)

	hablar	*comer*	*vivir*
(tú)	habla	come	vive
(él, ella, usted)	hable	coma	viva
(nosotros/-as)	hablemos	comamos	vivamos
(vosotros/-as)	hablad	comed	vivid
(ellos/-as, ustedes)	hablen	coman	vivan

Imperativo (verbos irregulares)

• Muchas veces tienen la misma irregularidad del presente de indicativo en la 2.ª y 3.ª persona del singular y 3.ª del plural; por ejemplo:

Pres. indicativo   **Imperativo**

cerrar   cierro, cierras, etc.   cierra (2.ª sing.),   cierre (3.ª sing.)
            cerremos (1.ª pl.),   cerrad (2.ª pl.),   cierren (3.ª pl.)

• Otras veces la irregularidad es total:

	decir	*hacer*	*irse*	*poner*	*salir*
(tú)	di	haz	vete	pon	sal
(él, ella, usted)	diga	haga	váyase	ponga	salga
(nosotros/-as)	digamos	hagamos	vayámonos	pongamos	salgamos
(vosotros/-as)	decid	haced	idos	poned	salid
(ellos/-as, ustedes)	digan	hagan	váyanse	pongan	salgan

1 El imperativo se usa para dar órdenes, instrucciones y consejos:

- *Niños, **apagad** la televisión y **haced** los deberes.*
- *Primero **corte** los tomates y los pepinos, luego **eche** sal y aceite.*
- *Si buscas seguridad, **compra** este coche.*

2 Cuando el imperativo se usa para dar una orden, muchas veces se suaviza con por favor:

- *Roberto, **pon** la mesa, por favor.*

3 Cuando el verbo va acompañado de un pronombre, este va detrás:

- ***Sal** tú a la pizarra, Cristina.*
- ***Siéntese** ahí, por favor.*
- ***Ponte** las gafas.*

1. Escriba la forma del imperativo para la 2.ª persona del singular *(tú)*.

1. *Estudiar más.*   *Estudia más.*
2. Abrir la ventana.
3. Darme un papel.
4. Apagar la televisión.
5. Echar esta carta.
6. Pagar la factura.
7. Responder.
8. Sacar la basura.
9. Escuchar.
10. Dejarme el diccionario.

Aciertos: ....   de 9

2. Escriba el imperativo para *usted*.

1. *Rellenar este papel.*   *Rellene este papel.*
2. Darme su pasaporte.
3. Escribir aquí.
4. Entrar por allí.
5. Responder.
6. Hablar más bajo.
7. Ayudar a la secretaria.
8. Comer más verduras.
9. Vender su coche viejo.
10. Lavar la ropa con jabón suave.

Aciertos: ....   de 9

3. Complete la forma imperativa *(tú y usted)* de los siguientes verbos.

1. *Venir a mi casa.*
   Ven a mi casa. (Tú)   *Venga a mi casa. (usted)*
2. Cerrar el libro.

3. Poner la radio.

4. Empezar ya.
                              Empiece ya.
5. Hacer los deberes.

6. Calentar la leche.
                              Caliente la leche.
7. Pedir la factura.

8. Despertar al niño.
   Despierta al niño.
   _____
9. Conducir con prudencia.
   _____   Conduzca con prudencia.

10. Dormir más.
    _____   _____

11. Volver pronto.
    Vuelve pronto.
    _____
12. Coger el metro.
    _____   Coja el metro.

13. Oír.
    _____   Oiga.

14. Hacer la comida ya.
    _____   _____

15. Salir de aquí.
    _____   _____

16. Traer agua.
    _____   _____

17. Cerrar la puerta.
    _____   _____

18. Encender la luz.
    Enciende la luz.
    _____

Aciertos: .... de 17

4. Complete con uno de los verbos en la forma correcta.

| cerrar | apagar | salir | **comprar** | hablar |
| llamar | hacer | dar(me) | venir | meter |

1. *Juan, compra el periódico, por favor.*
2. Sr. López, _____ la ventana, por favor.
3. Carmen, _____ la luz.
4. Sra. García, _____ más alto.
5. Señorita, _____ por teléfono al Sr. Cabrera.
6. Señor, _____ por allí.
7. Mamá, _____ dinero, no tengo ni un céntimo.
8. Miguel, _____ los yogures en el frigorífico.
9. Julio, _____ los deberes.
10. Niño, _____ aquí.

Aciertos: .... de 9

TEMA 25   TOTAL **aciertos**: .... de 44

Tema 26

Levántate, son las ocho.

No se admiten perros, lléveselo, por favor.

Imperativo + pronombres personales

IMPERATIVO
- + pronombre reflexivo (me, te, se, nos, os, se)
  Levántate.
- + pronombre objeto directo (lo, la, los, las)
  Tómalo.
- + pronombre reflexivo + pron. objeto directo
  Póntelo.

Los imperativos se usan muchas veces acompañados de pronombres personales complemento; estos van detrás y se escriben en una sola palabra:

Uso

1 Cuando el verbo es reflexivo:

● *Juanita, **siéntate de** una vez.*

2 Cuando el verbo es reflexivo y lleva además un pronombre complemento:

● *Tienes mucha barba, Daniel: **aféitatela.***

3 Cuando un verbo lleva un pronombre en función de objeto directo (3.ª persona: lo, la, los, las):

● *Toma el abrigo y **ponlo** en el armario.*

4 Con verbos reflexivos, para la 2.ª persona del plural (vosotros):

● *callar callad + os = **callaos***

Ejercicios

1. Escriba la forma imperativa (*tú* y *usted*) para los siguientes verbos reflexivos.

1. *Acostarse*   *acuéstate (tú)   acuéstese (usted)*
2. Callarse   _____   _____
3. Lavarse   _____   _____
4. Levantarse   _____   _____
5. Relajarse   _____   _____
6. Sentarse   _____   _____
7. Ponerse   _____   _____
8. Ducharse   _____   _____
9. Tumbarse   _____   _____
10. Llevarse   _____   _____

Aciertos: .... | de 9

2. Escriba la forma imperativa (*vosotros* y *ustedes*) de los siguientes verbos.

1. *Callarse*   *callaos (vosotros)*   *cállense (ustedes)*
2. Acostarse   _____   _____
3. Escuchar   _____   _____
4. Ayudar(me)   _____   _____
5. Estudiar   _____   _____
6. Leer   _____   _____
7. Sentarse   _____   _____
8. Salir   _____   _____
9. Colgar   _____   _____
10. Venir   _____   _____
11. Hablar   _____   _____
12. Lavarse   _____   _____
13. Llamar   _____   _____
14. Levantarse   _____   _____
15. Limpiar   _____   _____
16. Trabajar   _____   _____
17. Hacer   _____   _____
18. Poner   _____   _____
19. Traer   _____   _____
20. Escribir   _____   _____

Aciertos: .... | de 19

3. Responda a las frases siguiendo el modelo.

1. *¿Puedo traer ya el postre?*   *Sí, tráelo. (tú)*
Sí, tráigalo. (usted)

2. ¿Puedo abrir las ventanas?

3. ¿Puedo probar el jamón?

4. ¿Puedo poner aquí mi móvil?

5. ¿Puedo apagar la luz?

6. ¿Puedo llevar este plato?

7. ¿Puedo encender la radio?

8. ¿Puedo tocar tus pendientes?

9. ¿Puedo cerrar el coche?

Aciertos: ....   de 8

4. Responda a las frases siguiendo el modelo.

1. *¿Me pongo los zapatos negros?*   *Sí, póntelos.*
Sí, póngaselos.

2. ¿Me pongo las gafas?

3. ¿Me pongo la falda azul?

4. ¿Me pongo la corbata?

5. ¿Le pongo el pijama a la niña?

6. ¿Le pongo las botas?

7. ¿Le pongo la chaqueta?

8. ¿Me pongo el cinturón?

9. ¿Le pongo la leche?

Aciertos: ....   de 8

5. Siga el modelo.

1. *Comprar el periódico.* *Compradlo. (vosotros)*
   Cómprenlo. (ustedes)

2. Lavar la ropa.

3. Regar las plantas.

4. Escuchar las noticias.

5. Probar esto.

6. Mirar aquellos cuadros.

7. Llamar a ese taxi.

8. Sacar la basura.

9. Limpiar los zapatos.

10. Hacer todos los ejercicios.

11. Leer esa novela.

12. Traer aquí la mesa.

Aciertos: .... de 11

6. Piense y escriba en imperativo una lista de recomendaciones para llevar una vida sana.

Haga ejercicio todos los días.

TEMA 26 TOTAL aciertos: .... de 55

Tema 27

EL IMPERATIVO CON PRONOMBRES II

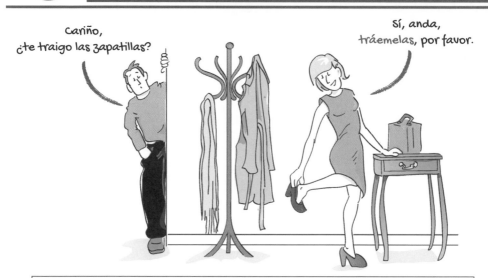

cariño,
¿te traigo las zapatillas?

Sí, anda,
tráemelas, por favor.

• Recuerde el tema 25 y vea las diferencias en el cuadro siguiente.

Imperativo + pronombres personales

IMPERATIVO
- \+ Pronombre reflexivo — *Levántate*
- \+ Pronombre objeto directo — *Tómalo*
- \+ Pronombre objeto indirecto — *Dame*
- \+ Pron. reflexivo + pron. objeto directo — *Póntelo*
- \+ Pron. objeto indirecto + pron. objeto directo — *Tráemelo*

Uso

Los imperativos (recuerde el tema 25) se usan muchas veces acompañados de pronombres personales complemento; estos van detrás y se escriben en una sola palabra también en los siguientes casos:

1 Cuando un verbo lleva un pronombre en función de objeto indirecto (me/nos, te/os, le, se/les, se):

- *Ponme el abrigo, por favor.*

2 Cuando un verbo lleva dos pronombres: objeto indirecto + objeto directo; en ese caso primero va el pronombre objeto indirecto y luego el objeto directo:

- *Trae el abrigo y **pónmelo**, por favor.*

3 Si el objeto indirecto es de 3.ª persona, le/les se sustituyen por se:

- *¿Le doy la cena a la niña?*
- *Sí, **dásela**, por favor.*
- *Les llevo estos pasteles a mis padres, ¿vale?*
- *Sí, claro, **llévaselos**.*

Ejercicios

1. Complete las frases, siguiendo el modelo.

1. *Yo quiero esos libros, por favor, dámelos.*
2. El niño quiere ese cochecito, por favor, _____
3. Ella quiere la blusa roja, por favor, _____
4. Ellos quieren la merienda, por favor, _____
5. Yo quiero tu número de teléfono , por favor, _____
6. Nosotros queremos la maleta marrón, por favor, _____
7. Nosotras queremos el diccionario, por favor, _____

Aciertos: ....   de 6

2. Ahora complételas con la forma de *usted*.

1. *Yo quiero esos libros, por favor, démelos.*
2. El niño quiere ese cochecito, por favor, _____
3. Ella quiere la blusa roja, por favor, _____
4. Ellos quieren la merienda, por favor, _____
5. Yo quiero su número de teléfono , por favor, _____
6. Nosotros queremos la maleta marrón, por favor, _____
7. Nosotras queremos el diccionario, por favor, _____

Aciertos: ....   de 6

3. Siga el modelo.

1. *¿Te hago un bocadillo?*   *Sí, házmelo.*
2. ¿Les doy a los niños el helado? _____
3. ¿Os traigo una revista? _____
4. ¿Le presto a Andrés 30 euros? _____
5. ¿Le compro ese vestido a María? _____
6. ¿Te llevo las bolsas? _____
7. ¿Os preparo las camas? _____
8. ¿Le digo al médico la verdad? _____
9. ¿Te traigo las gafas de sol? _____
10. ¿Le doy las llaves al fontanero? _____
11. ¿Le compro esa videocámara a Pablo? _____
12. ¿Os mando las fotos por correo? _____
13. ¿Le regalo la cafetera a Celia? _____
14. ¿Te compro esos pantalones vaqueros? _____

Aciertos: ....   de 13

4. Transforme las preguntas con la forma de *usted*. En algunas tiene que hacer cambios en los pronombres.

1. ¿Te hago un bocadillo?
   ¿Le hago un bocadillo?   Sí, *hágamelo*.
2. ¿Les doy a los niños el helado?
   ¿Les doy a los niños el helado?   Sí, *déselo*.
3. ¿Os traigo una revista?
   _____   _____
4. ¿Le presto a Andrés 30 euros?
   _____   _____
5. ¿Te llevo las bolsas?
   _____   _____
6. ¿Os preparo las camas?
   _____   _____
7. ¿Le digo al médico la verdad?
   _____   _____
8. ¿Te traigo las gafas de sol?
   _____   _____
9. ¿Le doy las llaves al fontanero?
   _____   _____
10. ¿Le compro esa videocámara a Pablo?
    _____   _____
11. ¿Os mando las fotos por correo?
    _____   _____
12. ¿Le regalo la cafetera a Celia?
    _____   _____

Aciertos: .... de 10

5. Piense que usted es una de las personas siguientes (la que ordena) y escriba algunas órdenes y consejos.

1. *Un padre / madre a sus hijos:*
   a) *Lavaos los dientes.*   b) *Poneos el pijama.*   c) *Acostaos ya, es muy tarde.*
2. Un profesor a sus alumnos:
   a) _____ b) _____ c) _____
3. Un médico a su paciente:
   a) _____ b) _____ c) _____
4. Un compañero de piso a otro:
   a) _____ b) _____ c) _____
5. Un estudiante a otro en clase:
   a) _____ b) _____ c) _____

Aciertos: .... de 4

TEMA 27   TOTAL aciertos: .... de 39

Tema 28

Yo antes corría mucho, pero ahora no puedo.

Pretérito imperfecto

	cantar	*beber*	*vivir*
(yo)	cantaba	bebía	vivía
(tú)	cantabas	bebías	vivías
(él, ella, usted)	cantaba	bebía	vivía
(nosotros/-as)	cantábamos	bebíamos	vivíamos
(vosotros/-as)	cantabais	bebíais	vivíais
(ellos/-as, ustedes)	cantaban	bebían	vivían

• Imperfectos irregulares:

  ser: era, eras, era, éramos, erais, eran   ir: iba, ibas, iba, íbamos, ibais, iban

  ver: veía, veías, veía, veíamos, veíais, veían

Uso

1 **El pretérito imperfecto expresa acciones pasadas no acabadas, acciones habituales y repetidas en el pasado:**
- *Cuando **éramos** pequeños, todos los domingos **íbamos** al río.*
- *Mi padre ya no trabaja, está jubilado. Antes **trabajaba** mucho.*

2 **Muchas veces se usa para expresar la causa de un hecho también pasado:**
- *Ayer no vine a clase porque **estaba** enfermo.*
- *El domingo pasado **había** una película en la tele y no salimos.*

3 **Para hacer una descripción en pasado:**
- *La piscina de los Martínez **era** más grande que la nuestra.*
- ***Hacía** un frío horrible, la noche **estaba** muy oscura y, de pronto, oímos un ruido.*

1. Escriba estas personas en pretérito imperfecto de los siguientes verbos.

	Yo / él / ella / usted	Nosotros / -as
1. *Escribir*	*escribía*	*escribíamos*
2. Vivir		
3. Estudiar		
4. Trabajar		
5. Hacer		
6. Ir		
7. Estar		
8. Ser		
9. Venir		
10. Pasar		
11. Salir		
12. Beber		
13. Ver		
14. Dar		

Aciertos: .... de 13

2. Complete según el modelo.

Ahora	Cuando era joven
1. *Como fruta todos los días.*	*No comía fruta.*
2. Leo el periódico en Internet.	_____ el periódico en papel.
3. Me levanto a las 7:00.	_____ más tarde.
4. Solo _____ en verano.	Nadaba todos los días.
5. No voy al cine casi nunca.	_____ una vez a la semana.
6. No _____ ejercicio nunca.	Hacía más ejercicio.
7. Estudio chino y japonés.	No _____ nada.
8. Gano mucho dinero.	_____ poco dinero.
9. Me gusta la música clásica.	_____ la música *rock*.
10. _____ el piano.	No tocaba nunca el piano.

Aciertos: .... de 9

3. Siga el modelo.

1. *No ir a trabajar. / Estar enfermo.*
   Ayer no fui a trabajar porque estaba enfermo.
   Como estaba enfermo, ayer no fui a trabajar.
2. Tomar un taxi. / Haber huelga de metro.

_____

_____

3. No salir. / Estar lloviendo.

_____

_____

4. No comer. / No tener hambre.

_____

_____

5. No llamarte. / No tener tu número de teléfono.

_____

_____

6. Acostarme pronto. / Estar cansada.

_____

_____

7. No ir a la discoteca contigo. / Tener que estudiar.

_____

_____

8. Llegar tarde a clase. / Haber mucho tráfico.

_____

_____

Aciertos: .... de 7

4. Complete con los verbos en la forma correcta del imperfecto.

1. _Luisa y Javier ahora viven en Madrid, pero antes vivían en Sevilla. (vivir)_
2. A mi hermano no le gusta la leche, pero cuando _____
   pequeño le _____ mucho. _(ser, gustar)_
3. ¿Vosotros _____ por la noche, antes de nacer vuestros
   hijos? _(salir)_
4. ¿Tú _____ a la playa de vacaciones, de pequeño? _(ir)_
5. Siempre que _____ a casa de mi abuela, me _____
   _____ galletas con chocolate. _(ir, yo; dar)_
6. Hasta hace poco, María _____ café después de comer,
   pero el médico se lo ha prohibido. _(tomar)_
7. Nos tuvimos que venir de la sierra porque Juanito _____
   _ gripe. _(tener)_
8. Cuando _____ la escalera tranquilamente, se cayó y se
   rompió una pierna. _(bajar)_
9. La casa donde _____ mi marido de pequeño _____
   _____ grande y antigua. _____ unas ventanas
   enormes que _____ a un patio. Siempre _____
   frío en aquella casa, en invierno y en verano. _(vivir, ser, Tener, dar, hacer)_
10. En la fiesta de Blas, conocí a un chico que _____ perfec-
    tamente seis idiomas. _(hablar)_

Aciertos: .... de 15

Ejercicios

5. Complete con uno de los verbos en pretérito imperfecto.

> hablar **acostarse** ser estar encontrarse ir
> bailar haber pensar tener estudiar

1. En verano, todas las noches (ellos) se acostaban muy tarde.

2. El lunes no fui a trabajar porque _____ mal.

3. El lunes no fui a trabajar porque _____ mala.

4. Antes de la guerra en este país _____ muchos problemas políticos.

5. ¿_____ (tú) que todos los españoles _____ bien castellano?

6. Cuando Elena _____ 19 años _____ en la universidad.

7. Jaime y Puri, cuando _____ jóvenes, _____ muy bien flamenco.

8. Ayer, cuando _____ a clase, vi un accidente.

Aciertos: .... de 10

6. ¿Qué piensa usted que hacía la gente antes de inventarse la televisión? Escriba un párrafo sobre las actividades de tiempo libre que hacían nuestros abuelos.

TEMA 28   TOTAL aciertos: .... de 54

Tema 29

Pretérito imperfecto		Pretérito perfecto simple	
-ar	-er / -ir	-ar	-er / -ir
-aba	-ía	-é	-í
-abas	-ías	-aste	-iste
-aba	-ía	-ó	-ió
-ábamos	-íamos	-amos	-imos
-abais	-íais	-asteis	-isteis
-aban	-ían	-aron	-ieron

Uso

1 Se utiliza el pretérito imperfecto para hablar de acciones o descripciones pasadas sin precisar el principio ni el final, con límites temporales imprecisos. Se utiliza, por tanto, para describir situaciones. El pretérito perfecto simple, por el contrario, sirve para hablar de acciones puntuales que se sitúan en un espacio temporal limitado y terminado.

- *En mi pueblo **teníamos** dos escuelas.*
- *En mi pueblo **tuvimos** dos escuelas hasta el año pasado.*
- *Antes **se vivía** peor que ahora, con más dificultades.*
- *Después de la guerra, y hasta los años sesenta, se vivió mal, con muchas dificultades.*

2 Con el pretérito imperfecto describimos acciones habituales o costumbres en el pasado. Con el pretérito perfecto, por el contrario, acciones que ocurren en el pasado un número concreto de veces, no de forma habitual. El pretérito imperfecto expresa acciones repetidas y en desarrollo. El pretérito perfecto simple expresa acciones que han pasado una sola vez:

- *Antes generalmente **veíamos** una película y nos acostábamos a la una.*
- *Anoche **vimos** una película y nos acostamos a la una.*

3 Cuando hay marcadores temporales que indican límite de la acción, el tiempo adecuado es el pretérito perfecto simple:

- *El año pasado **estuve** en Viena.*
- *Desde 1980 a 1990 **viví** en Madrid.*
- *Los Martínez **estuvieron** aquí mucho tiempo.*

4 Algunas veces, solo el contexto puede explicar la intención del hablante al utilizar uno u otro tiempo:

*a. En verano **fuimos** a ver a mis padres.*
*b. En verano **íbamos** a ver a mis padres.*

En a. alguien está contando lo que hicieron en un año concreto; en b. alguien está contando lo que solían hacer todos los veranos en la época de la que está hablando.

5 Si aparecen juntos, el pretérito perfecto simple expresa la acción principal. El pretérito imperfecto describe la causa o las circunstancias de la acción principal:

- *Cuando ya **estábamos** todos de acuerdo, Óscar **dijo** que no.*
- *Como ayer el niño **tenía** fiebre, lo **llevé** al médico.*
- ***Dormía** profundamente cuando **sonó** el teléfono.*
- *El otro día **comprasteis** unos helados que **tenían** una fresa riquísima.*

6 Con el imperfecto expresamos una acción en desarrollo que es interrumpida por otra acción, esta en perfecto simple.

- *Cuando **volvíamos** a casa, nos **encontramos** con Marta y fuimos a dar un paseo (no llegamos a casa, a medio camino nos fuimos con Marta a otro lugar).*
- *Cuando **volvimos** a casa, nos **encontramos** con Marta y la **invitamos** a tomar un café (en casa).*

Ejercicios

1. Maribel antes era profesora en un pueblo y ahora se ha trasladado a Sevilla. Estas son las diferencias entre su vida habitual en el pueblo y lo que hizo ayer, que empezó el curso.

En el pueblo, todos los días_____   _____ pero ayer

1. (ir)
   ... iba andando a trabajar,   ... fui en autobús.
2. (comer)
   _____ en casa,   _____ en el comedor escolar.
3. (ver)
   _____ a mi amiga Lola,   no _____ a ningún amigo.
4. (jugar)
   _____ al mus,   no _____ a nada especial.
5. (salir)
   _____ después de cenar, no _____
6. (ver)
   _____ la tele,   no la _____

Aciertos: .... de 10

2. Subraye la opción correcta.

   1. Ayer no salimos de casa.
   2. Federico trabajó/trabajaba muchos años en Suiza.
   3. Mi abuelo dio/daba siempre un largo paseo después de comer.
   4. Mi abuelo un día me dio/daba un libro que siempre me ha gustado releer.
   5. Los políticos antes eran/fueron más sinceros.
   6. Cuando yo vivía/viví en Canadá no había/hubo problemas de paro.
   7. Alejandro y yo jugamos/jugábamos varias partidas de ajedrez el domingo pasado.
   8. Cuando mis abuelos venían/vinieron a mi casa, mi madre les hizo chocolate.
   9. En 2010 estuve/estaba tres veces en París.
   10. Los árabes vivían/vivieron en España 800 años.
   11. Mi abuela cantaba/cantó ópera.
   12. Después de la cena siempre veíamos/vimos la televisión antes de irnos a la cama.
   13. Una vez, mi tío Claudio cantó/cantaba una ópera por su cumpleaños.
   14. Ayer los vecinos hicieron/hacían una fiesta hasta las tres de la madrugada.
   15. En verano, por las noches, siempre tomábamos/tomamos café y charlábamos/charlamos hasta las tres en esa cafetería.
   16. Antes mi padre me llevaba/llevó en moto a la escuela.
   17. El lunes, cuando recibía/recibí tus mensajes, me puse/ponía muy contento.
   18. Siempre que recibía/recibí tus correos electrónicos, me puse/ponía muy contento.

Aciertos: .... de 21

Ejercicios

3. Complete con el verbo en el tiempo más adecuado (pretérito imperfecto o pretérito perfecto simple).

1. *El verano pasado* llovió *mucho. (llover)*
2. Cuando yo _____ 18 años, _____ un accidente de moto. *(tener, tener)*
3. Luisa _____ de su casa porque su padre _____ muy autoritario. *(irse, ser)*
4. El profesor nos _____ un examen muy difícil la última vez. *(poner)*
5. El domingo yo _____ a una chica que _____ de un país centroamericano. *(conocer, ser)*
6. • ¿Qué tal el viaje a Toledo?
   • Muy bien, _____ estupendamente. *(pasárselo, nosotros)*
7. La película que _____ el viernes _____ mucho. *(ver, yo, gustar)*
8. Antes de venir a Madrid, _____ tres años en Zaragoza. *(vivir)*
9. Nosotros no _____ al concierto porque _____ mucha gente en la cola. *(entrar, haber)*
10. Como no _____ entradas, no _____ oír a Silvio Rodríguez. *(tener, poder)*
11. Los Pérez _____ hace tres años un chalé que _____ una piscina grandísima. *(alquilar, tener)*
12. Cuando se casó con Julio, Angelina ya _____ un hijo. *(tener)*
13. Cuando yo _____ a casa de mi tía, la mesa _____ preparada para tres. *(llegar, estar)*

Aciertos: ………   de 20

4. Piense en seis cosas que en el pasado realizaba habitualmente y que el año pasado / ayer no hizo.

○ *Antes siempre celebraba mi cumpleaños, pero el año pasado no invité a nadie.*
○ _____
○ _____
○ _____
○ _____
○ _____
○ _____
○ _____

TEMA 28   TOTAL **aciertos:** ………   de 51

Tema 30

¿Qué estaban haciendo ayer a las 5 en punto de la tarde?

Óscar iba al gimnasio.

Pablo e Irene estaban viendo la televisión.

• Recuerde los temas 22, 23 y 29.

Terminaciones

Pretérito perfecto simple		Pretérito imperfecto	
-ar	-er / -ir	-ar	-er / -ir
-é	-í	-aba	-ía
-aste	-iste	-abas	-ías
-ó	-ió	-aba	-ía
-amos	-imos	-ábamos	-íamos
-asteis	-isteis	-abais	-íais
-aron	-ieron	-aban	-ían

• Recuerde el tema 10.

estar + gerundio

(yo)	estaba
(tú)	estabas
(él, ella, usted)	estaba
(nosotros/-as)	estábamos
(vosotros/-as)	estabais
(ellos/-as, ustedes)	estaban

1 Estar + gerundio se utiliza para expresar que una acción es larga o dificil. Observe los ejemplos:

- *Ayer estudié un par de horas y, al final, he aprobado el examen.*
- *Ayer estuve toda la tarde estudiando y, al final, he aprobado el examen.*

- *Durante mi viaje, hice muchas fotos. ¿Quieres verlas?*
- *Durante mi viaje, estuve haciendo muchas fotos. Ahora tengo que seleccionar las buenas. Después, si quieres, te las enseño.*

2 Se utiliza estar en pretérito imperfecto para indicar que una acción (expresada en perfecto simple) ocurre mientras otra de larga duración tiene lugar. Observe los ejemplos:

- *¿Sabes? Ayer jugué al tenis.*
- *¿Ah, sí? ¿Mucho tiempo?*
- *No, solo de 4 a 5, después de comer.*

- *Ayer te llamé por teléfono y no estabas.*
- *¿A qué hora?*
- *A las cuatro y media.*
- *A esa hora **estaba jugando** al tenis.*

- *El domingo, Lucía **estaba duchándose** cuando sonó el teléfono.*

3 Normalmente, no admiten la forma estaba + gerundio verbos como ser, estar, ir, venir, pensar, volver. Con estos verbos usamos simplemente la forma del pretérito imperfecto.

- *Ayer, cuando volvía a casa, vi un accidente.*
     ~~estaba volviendo~~

- *Yo pensaba que Manuela estaba casada con Óscar.*
     ~~estaba pensando~~

4 Tampoco se puede usar estaba + gerundio para indicar una actividad habitual, repetida en el pasado.

- *Antes, cuando era joven, yo asistía a muchos conciertos*
          ~~estaba asistiendo~~

- *Mi hija pequeña antes leía mucho, pero ahora ya no.*
          ~~estaba leyendo~~

1. Complete las frases con el verbo en la forma más adecuada: pretérito imperfecto, pretérito perfecto simple, *estaba* + gerundio.

1. *Yo conocí a mi marido cuando* estábamos estudiando *en Berlín. (estudiar, nosotros)*
2. Felipe _____ cuando estaba preparándome para salir. *(llegar)*
3. Cuando estaba limpiando la casa, _____ el anillo. *(encontrar, yo)*
4. Mi hermano se rompió la pierna cuando _____ en Jaca. *(esquiar)*
5. Cuando José María _____ por la calle, se encontró un billete de 100 euros. *(ir)*
6. Cuando _____ la vecina, yo estaba haciendo la cena. *(llegar)*
7. Cuando Alberto _____ 25 años, _____ a una actriz famosa y _____ con ella. *(tener, conocer, casarse)*
8. El domingo por la mañana, cuando _____ el periódico tranquilamente, me llamó Carlos para ir a jugar al golf. *(leer)*
9. Alicia y su marido _____ a París de viaje de novios. *(ir)*
10. Cuando _____, se fue la luz. *(cenar, nosotros)*

Aciertos: .... de 11

2. Complete con el verbo en la forma correcta (pretérito perfecto simple o *estaba* + gerundio).

1. *Tu padre* llamó *cuando yo* estaba desayunando.
   (llamar, desayunar)
2. Ayer, cuando yo _____ las clases, Montse _____ y _____ un dedo. *(preparar, caerse, romperse)*
3. Cuando nosotros _____ en nuestra habitación, ellos _____ a la puerta. *(estudiar, llamar)*
4. El coche _____ cuando _____ a Valencia. *(pararse, llegar)*
5. El cartero _____ cuando _____ *(venir, desayunar, nosotros)*
6. Mientras el señor Torres _____ el coche en su garaje, alguien _____ en la casa y _____ las joyas. *(limpiar, entrar, llevarse)*
7. Cuando el ciclista _____ la meta, _____ una caída. *(alcanzar, sufrir)*
8. El jueves pasado, mientras los niños _____ en la puerta del colegio, _____ un mono. *(jugar, aparecer)*
9. A las 12 de la noche, todo el mundo _____ animadamente y, de pronto, la música _____ *(bailar, pararse)*

Aciertos: .... de 18

Ejercicios

3. En las frases siguientes, subraye la forma verbal adecuada.

1. *Mis primos se casaron hace tres años.*
2. Cuando *terminó/terminaba* la universidad, se *ponía/puso* a trabajar.
3. Ayer *estaba viendo/vi* la tele hasta las doce.
4. El lunes, cuando *estábamos comiendo/comimos* en el restaurante, nos *encontrábamos/encontramos* con la presentadora del informativo de la tarde.
5. Antes yo *estaba haciendo/hacía* mucho deporte, pero ahora lo he dejado.
6. Cuando *iba/fui* a ver el partido del Real Madrid, *había/hubo* un atasco grandísimo.
7. Juan Luis *tuvo/estaba teniendo/tenía* un accidente muy grave cuando *tuvo/tenía* 12 años.
8. Como no *tenía/estaba teniendo* dinero, ayer no *me compré/compraba* el traje de noche que *vi/veía* en el escaparate de la tienda.
9. A María Eugenia la *despidieron/despedían* el mes pasado porque siempre *llegó/llegaba* tarde.
10. Cuando yo *era/fui* pequeña, *estaba jugando/jugaba* todos los días con mis amigos en la calle.
11. El domingo no *estaba teniendo/tenía* ganas de ir al cine, pero Nacho me *llamó/estaba llamando* y me *iba/fui* con él.

Aciertos: .... de 20

4. Escriba frases siguiendo el modelo.

1. *Cenar en un restaurante / ver al jefe de Lola. (Nosotras)*
   Cuando *estábamos cenando* en un restaurante *vimos* al jefe de Lola.
   Estábamos cenando en un restaurante y *vimos* al jefe de Lola.
2. Alejandro trabajar / darle un infarto.

   _____

3. Ver una peli en casa / no oír el timbre.

   _____

4. Bailar (ellos) / llegó la policía.

   _____

5. Hacer deporte / tener un accidente.

6. Leer una novela / llamarme Rosa para salir.

   _____

Aciertos: .... de 5

TEMA 28   TOTAL **aciertos:** .... de 54

Tema 31

EL FUTURO SIMPLE

Futuro simple

- El futuro simple tiene las mismas terminaciones en las tres conjugaciones.

	cantar	beber	vivir
(yo)	cantaré	beberé	viviré
(tú)	cantarás	beberás	vivirás
(él, ella, usted)	cantará	beberá	vivirá
(nosotros/-as)	cantaremos	beberemos	viviremos
(vosotros/-as)	cantaréis	beberéis	viviréis
(ellos/-as, ustedes)	cantarán	beberán	vivirán

- Algunos futuros irregulares:
  - decir: diré, dirás, etc.
  - hacer: haré, harás, etc.
  - poder: podré, podrás, etc.
  - poner: pondré, pondrás, etc.
  - querer: querré, querrás, etc.
  - saber: sabré, sabrás, etc.
  - salir: saldré, saldrás, etc.
  - tener: tendré, tendrás, etc.
  - venir: vendré, vendrás, etc.

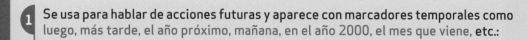

1 Se usa para hablar de acciones futuras y aparece con marcadores temporales como luego, más tarde, el año próximo, mañana, en el año 2000, el mes que viene, **etc.**:

- *¿Has hecho los deberes?*
- *No, los **haré** luego.*

1. Complete según el modelo.

1. *Llevamos*	*llevaremos*	*(llevar)*
2. _____	trabajarás	(_____)
3. llueve	_____	(llover)
4. miran	_____	(_____)
5. envío	_____	(_____)
6. se llama	_____	(_____)
7. _____	olvidarás	(_____)
8. recogen	_____	(_____)
9. _____	pasaréis	(_____)
10. _____	comerás	(_____)
11. empiezo	_____	(_____)
12. pescamos	_____	(_____)
13. _____	esperaré	(_____)
14. voy	_____	(_____)
15. _____	sabrán	(_____)
16. quieres	_____	(_____)

Aciertos: .... de 15

2. Complete según el modelo. Observe que todos son irregulares.

1. *Salir*	*saldré*	*saldrás*	*saldrá*
2. hacer	_____	_____	_____
3. decir	_____	_____	_____
4. poner	_____	_____	_____
5. poder	_____	_____	_____
6. tener	_____	_____	_____

Aciertos: .... de 5

3. Siga el modelo. Responda siempre negativamente.

1. *¿Has preparado las maletas?*
   No, las prepararé mañana.
2. ¿Has llamado por teléfono?
   No, _____ esta noche.
3. ¿Has hecho los ejercicios?
   No, los _____ más tarde.
4. ¿Habéis leído los mensajes?
   No, lo _____ luego.
5. ¿Has limpiado las lámparas?
   No, las _____ el sábado.
6. ¿Habéis visto estas series?
   No, la _____ en vacaciones.

7. ¿Has sacado dinero del banco?
   No, lo _____ mañana.
8. ¿Habéis visto la película de Tony?
   No, la _____ sábado.
9. ¿Me has traído el abrigo?
   No, te lo _____ ahora.
10. ¿Has ido ya al médico?
   No, _____ mañana.

Aciertos: .... de 9

4. Construya frases siguiendo el modelo.

1. *(Carmen aprobar el examen)*
   Yo creo que Carmen aprobará el examen.
2. (Ellos venir pronto)

   _____

3. (Andrés casarse este verano)

   _____

4. (Tu marido encontrar trabajo pronto)

   _____

5. (Mañana hacer mejor tiempo)

   _____

6. (Yo no ir a trabajar mañana)

   _____

7. (Yo decírselo a Laura esta noche)

   _____

8. (Nosotros ir de vacaciones a Mallorca)

   _____

9. (Él poner la lavadora esta tarde)

   _____

10. (Alfonso y Lola pasar por casa más tarde)

   _____

Aciertos: .... de 9

5. Haga las preguntas.

1. *(Venir a mi casa)*
   ¿Cuándo vendrás a mi casa?
2. (Salir de trabajar)

   _____

3. (Ir a comprar)

   _____

4. (Poder terminar esto)

   _____

Ejercicios

5. (Hacer la comida)

_____

6. (Volver a telefonear)

_____

Aciertos: .... de 5

6. Haga el mismo ejercicio con *usted*.

1. *(Venir a mi casa)*
   ¿Cuándo vendrá a mi casa?
2. (Salir de trabajar)

_____

3. (Ir a comprar)

_____

4. (Poder terminar esto)

_____

5. (Hacer la comida)

_____

6. (Volver a telefonear)

_____

Aciertos: .... de 5

7. Complete los huecos con el verbo más adecuado en futuro.

> volver   hacer   engordar   ser
> **devolver**   ir (2)   dejar   venir

1. *Préstame algo de dinero. A final de mes te lo devolveré.*
2. Marta se va de viaje, pero _____ dentro de unos días.
3. Gritas demasiado, ¿cuándo _____ de gritar?
4. • ¿Dónde _____ (vosotros) de vacaciones este año?
   • No sé, seguramente _____ al pueblo de Joaquín.
5. Si sigues comiendo así, _____
6. Yo creo que Sonia y Roberto _____ muy felices si se casan.
7. Confía en mí, yo nunca te _____ daño.
8. No sé si Fernando _____ el sábado a mi fiesta de cumpleaños.

Aciertos: .... de 8

TEMA 31   TOTAL aciertos: .... de 56

LOS INDEFINIDOS

Indefinidos	
Invariables	**Variables**
Para personas	
Alguien / Nadie	Algún(o) / Ningún(o) (-a , -os, -as) (-a, -os, -as)
Para cosas	
Algo / Nada	Demasiado, -a, -os, -as Bastante, -s

1 Indefinidos invariables

1. **Alguien y nadie** se refieren a personas, son invariables y van con verbo en singular:
   - *¿**Ha venido** ya **alguien** a cobrar?*
   - *No, todavía no ha venido **nadie**.*

2. **Algo y nada** se refieren a cosas, y son invariables:
   - *¿Quiere usted tomar **algo**?*
   - *No, gracias, ahora no quiero **nada**.*

3. **Alguien, nadie, algo y nada** pueden acompañar a adjetivos:
   - *¿Han invitado a **alguien importante**?*
   - *Regálale a Marina **algo original**.*
   - *En esa familia no hay **nadie guapo**.*
   - *Esta revista no cuenta **nada interesante**.*

2 Pronombres y adjetivos

1. **Alguno y ninguno** se refieren a personas y cosas y cambian en genero y número:
   - *¿Has comprado **alguna revista** de moda?*
   - *No, no he comprado **ninguna**.*
   - ***Algunos niños** son muy pesados.*
   - *¿Tenéis siete niños y **ninguna niña**?*

2. **Alguno y ninguno** pierden la -o delante de un nombre masculino singular y entonces llevan tilde:
   - *Tengo bocadillos. ¿Quiere **alguno**?*
   - *¿Quiere usted tomar **algún bocadillo**?*
   - *¿Ha venido ya **algún cobrador**?*
   - *No, todavía no ha venido **ninguno**.*

   o

   - *No, todavía no ha venido **ningún** cobrador.*

3. **Alguno** puede usarse en singular y plural. **Ninguno** se usa solo en plural con sustantivos que siempre van en plural, como **pantalones o gafas**:
   - *¿Hay naranjas?*
   - *Sí, creo que en la nevera **quedan algunas**.*

   o

   - *Sí, creo que en la nevera **queda alguna**.*

4. **Demasiado y bastante** pueden ir delante de adjetivo y de adverbio:
   - *Elena es **demasiado joven** para salir de noche.*
   - *No quiero ir andando, está **demasiado lejos**.*
   - *Ese traje no es **bastante elegante** para la fiesta.*
   - *Pinta **bastante bien**, ¿no te parece?*

5. **Demasiado y bastante**, cuando son invariables, suelen ir detrás del verbo:
   - *Luis, deja de comer, ya **has comido bastante**.*
   - *A Patricia un día le va a pasar algo, **trabaja demasiado**.*

6. **Demasiado y bastante**, como adjetivos, van con un nombre y concuerdan con él:
   - *Marcos, les has comprado **demasiados regalos** a los niños.*
   - *Me parece que has hecho **demasiada comida**.*
   - *¿Tú crees que tendremos **bastantes sillas** para todos?*

1. Subraye la opción correcta.

1. ¿Dice algo interesante el periódico?
2. ¿Ahí vive algo/alguien?
3. ¿Tienes algo/alguien en el horno?
4. ¿Hay algo/alguien importante en ese cajón?
5. ¿Quieres algo/alguien de beber?
6. ¿Hay algo/alguien en esa habitación?
7. ¿Preguntó algo/alguien por mí ayer?
8. ¿Tiene algo/alguien que declarar?
9. ¿Han oído algo/alguien esta noche?
10. ¿Ha llamado algo/alguien por teléfono?

Aciertos: .... de 9

2. Conteste con *nada* y *nadie*.

1. • ¿Qué has dicho?   • Yo no he dicho nada.
2. • ¿Quién vive ahí?   • _____
3. • ¿Qué quieres cenar?   • _____
4. • ¿Qué pasó ayer?   • _____
5. • ¿Qué hacéis?   • _____
6. • ¿Quién ha venido tarde?   • _____
7. • ¿A quién has visto en la calle?   • _____
8. • ¿Qué has tomado?   • _____
9. • ¿Qué has comprado?   • _____
10. • ¿Quién ha gritado?   • _____

Aciertos: .... de 9

3. Responda a las preguntas, según el modelo.

1. • ¿Tienes caramelos?
   • Sí, creo que me queda alguno.   o   Sí, creo que me quedan algunos.
                                    • No, no me queda ninguno.
2. • ¿Tienen habitaciones?
   • Sí, hay _____
   • No, no hay _____
3. • ¿Tienes una revista?
   • Sí, quedan_____
   • No, no queda _____
4. • ¿Tienes bombones?
   • Sí, me queda _____
   • No, no me queda _____
5. • ¿Hay mesas libres?
   • Sí, hay _____
   • No, no hay _____
6. • ¿Tienen pantalones?
   • Sí, tenemos _____
   • No, no tenemos _____

7. • ¿Has comprado naranjas?
    • Sí, he traído _____
      • No, no he traído _____
8. • ¿Conoces las películas italianas?
    • Sí, he visto _____
      • No, no he visto _____
9. • ¿Tienes alguna foto de tu novio?
    • Sí, tengo _____
      • No, no tengo _____

Aciertos: .... de 8

4. Complete con *alguno* en la forma correcta.

1. ¿Tienes *algún hijo casado?*
2. ¿Has visto _____ vez un árbol gigante?
3. _____ niños duermen mal por la noche.
4. Lo siento, no me queda _____ carpeta roja.
5. No todas las mujeres trabajan fuera de casa, solo _____
6. No, no tenemos _____ lavavajillas de esa marca.
7. ¿Tienen _____ noticia de sus amigos?
8. _____ personas creen que todos los españoles son morenos.
9. Lo siento, no hay _____ mesa libre.
10. Tranquilo, no hay _____ problema.
11. ¿Hay _____ coche en nuestro aparcamiento?
12. ¿Conoces _____ hotel bueno en Salamanca?
13. Lo siento, hoy no hay _____ autobús para Toledo.
14. _____ vestidos le quedan fatal a la presidenta.

Aciertos: .... de 13

5. Complete las frases con un elemento de la caja A y otro de la caja B.

A: algún alguna algunos algunas

B: amigos países ropa **dinero** personas estudiantes deportes hoteles cuadros día

1. ¿Puedes prestarme *algún dinero?*
2. _____ _____ son estúpidas.
3. Todos no, pero _____ _____ son de Miró.
4. En _____ _____ no se come pan, se come arroz.
5. He invitado a _____ _____ a mi fiesta de cumpleaños.
6. _____ _____ no aprobarán el examen.
7. He regalado _____ _____ para los países del Tercer Mundo.
8. Ven a verme _____ _____
9. _____ _____ son peligrosos, como el parapente o el automovilismo.
10. En la playa hay _____ _____ de lujo, que son carísimos.

Aciertos: .... de 9

6. Complete las frases con *alguien, algo, nada, nadie.*

1. A *nadie le gusta trabajar en verano.*
2. ¿Sabes _____ de tu amiga Clara?
3. • ¿Quieres _____ de beber?
   • No, gracias, no quiero _____
4. ¿Conoces a _____ en Lima?
5. _____ me ha robado el reloj.
6. ¿Busca a _____?
7. Creo que hay _____ en la puerta.
8. _____ puede hablar todos los idiomas del mundo.
9. ¡Cuidado!, la niña tiene _____ en la boca.
10. No hay _____ en la cola del cine.
11. Le he prestado a Iván _____ de dinero y no me lo ha devuelto.
12. A _____ le gustan las guerras.
13. Hay _____ que se está quemando en la cocina.
14. ¿Has preparado _____ para la merienda?

Aciertos: .... de 14

7. Complete las frases con un elemento de cada caja.

| A | bastante   bastantes
demasiado, -a, -os, -as | B | horas   caramelos   dinero   alta
papel   viejo   fruta   **sal**   calor   caro |

1. *La comida está muy salada, le has puesto demasiada sal.*
2. Álvaro no es rico, pero gana _____
3. • Mamá, me duele el estómago.
   • Sí, has comido _____
4. ¿Puedes bajar la música?, está _____
5. Mi padre trabaja _____ Está agotado.
6. Mi abuelo tiene 73 años y es _____ para conducir la moto.
7. No tienes que traer uvas, ya tenemos _____
8. No hay _____ para envolver los regalos.
9. No puedo comprarme ese chalet, es _____
10. Ahora no podemos salir, hace _____

Aciertos: .... de 9

TEMA 32   TOTAL **aciertos:** .... de 71

Tema 33

Oraciones	Enlaces	
Condicionales	Si + presente...	presente, futuro, imperativo
Causales	Como Porque	
Temporales	Cuando	
Adversativas	Pero	

1 Las oraciones compuestas son las que están formadas por dos o más frases. Pueden ser dos frases principales unidas por conectores como y, o.... Cuando una de las frases depende (o está subordinada) de otra (llamada principal) se dice que es una frase subordinada. Observe las distintas frases:

- *Ayer fuimos al cine y, después, cenamos algo.*
- *Podemos organizar una fiesta en casa o podemos salir al campo.*
- *Cuando no tengo tiempo, llamo a la pizzería para encargar una pizza.*
- *Si llueve, este fin de semana nos quedamos en casa.*

2 Las frases que expresan una condición tienen dos partes, la oración que lleva si (subordinada) y la oración principal:

- *Si vienes a mi casa, te enseñaré el vídeo nuevo.*

3 En las oraciones condicionales más simples, la oración subordinada lleva el verbo en presente de indicativo y la principal puede llevar el verbo en presente de indicativo, en futuro o en imperativo:

- *Si podemos, salimos todas las noches.*
- *Si hace buen tiempo, iremos a la playa.*
- *Si me necesitas, llámame.*

4 Las oraciones que expresan causa pueden empezar por porque o como:

1. Se usa **porque** cuando la oración causal va después de la principal:

   - *Ayer nos quedamos en casa porque hacía mucho frío.*

2. Se usa **como** cuando la oración causal va antes de la principal:

   - *Como hacía mucho frío, nos quedamos en casa.*

5 Las oraciones que expresan contraste o restricción entre dos ideas reciben el nombre de adversativas. Empiezan por pero:

- *Trabaja mucho, pero gana poco.*

- *¿Hablas español?*
- *Sí, pero no hablo muy bien todavía.*

6 Las oraciones temporales pueden introducirse con muchos enlaces, pero el más usado es cuando:

- *Normalmente, cuando llego a casa, dejo las llaves en la entrada.*
- *Cuando empezó a hacer frío, nos volvimos a casa.*
- *Cuando vivía en Canadá, trabajaba en una fábrica.*

1. Relacione.

Si

1. tienes hambre,
2. llueve,
3. puedes,
4. aparcas aquí,
5. el niño llora,
6. ves a Ricardo,
7. te levantas temprano,

a) haremos la fiesta dentro.
b) iremos a pescar.
c) come algo.
d) dale recuerdos.
e) dale el biberón.
f) te pondrán una multa.
g) pasa a buscarme.

1. - c   *Si tienes hambre, come algo.*
2. _____
3. _____
4. _____
5. _____
6. _____
7. _____

Aciertos: .... de 6

2. Subraye la opción correcta.

1. Si hace buen tiempo, saldremos a pescar.
2. Si *me encuentro / encontraré* mal mañana, no iré a trabajar.
3. Si *vas / irás* al supermercado, tráeme aceite, por favor.
4. ¿Irás al cumpleaños de Clotilde si no te *invita / invitará*?
5. Si no *dejan / dejarán* de pelearse, llamaré a la policía.
6. Si te *comes / comerás* la sopa, te daré helado de postre.

Aciertos: .... de 5

3. Complete libremente las frases.

1. Me compraré un coche nuevo si me suben el sueldo.
2. Si mañana no llueve, _____
3. Si puedes, _____
4. El año que viene iré a México si _____
5. Yo fregaré los platos si tú _____

Aciertos: .... de 4

4. Complete con uno de los enlaces causales (**como** o **porque**).

1. Como hacía frío, no salimos al parque.
2. No nos metimos en la piscina _____ el agua no estaba limpia.
3. _____ no me llamaba él, le llamé yo para tener noticias.
4. _____ no podía dormir, me levanté y di un paseo.
5. Fuimos en tren _____ no había autobuses para Zaragoza.
6. Abrí la ventana _____ hacía un calor sofocante.

Aciertos: .... de 5

5. Relacione y forme frases utilizando *como* y *porque*.

1. Me acosté	a) necesitaba dinero.
2. No quiere casarse	b) le gusta mucho.
3. No puedo dormir	c) son novios desde hace poco tiempo.
4. Va al fútbol todas las semanas	d) estaba cansado.
5. Vino a casa	e) hay mucho ruido.
6. Fui al médico	f) estaba solo en la ciudad.
7. Me apunté a un curso de salsa.	g) no me encontraba bien.

1. Me acosté porque estaba cansado.   Como estaba cansado, me acosté.
2. _____   _____
3. _____   _____
4. _____   _____
5. _____   _____
6. _____   _____
7. _____   _____

Aciertos: .... de 6

6. Complete las frases con *como*, *porque*, *pero*, *si*.

1. *Llegó tarde porque el despertador no sonó.*
2. La noticia apareció en la prensa, _____ él no se enteró.
3. _____ no sabía qué hacer, volvió a su casa y se acostó.
4. Le he prestado dinero _____ me dijo que lo necesitaba.
5. _____ no te apetece salir, nos quedaremos en casa.
6. Quiero ir al cine, _____ tengo que estudiar.
7. _____ no había agua, no pude ducharme.
8. Busqué las llaves, _____ no las encontré.
9. Trabaja mucho, _____ gana poco.
10. _____ necesitas algo, llámame.
11. Tienen mucho dinero, _____ viven miserablemente.

Aciertos: .... de 10

7. Introduzca *si* o *cuando*.

1. *Si no hay vino, tomaré agua.*
2. _____ llamó y le dijeron que Eva no estaba en casa, fue a buscarla a su trabajo.
3. _____ amenazó a su jefe con marcharse, le subieron el sueldo.
4. _____ el médico cree que es mejor operarte, debes hacerle caso.
5. _____ el niño se despertó por la noche, llamó a su padre desesperadamente.
6. _____ quieres aprender idiomas, tienes que practicar mucho.
7. _____ tenía 20 años, se casó con un torero.

Aciertos: .... de 6

TEMA 33   TOTAL **aciertos**: .... de 42

Tema 34

LOS PRONOMBRES PERSONALES

Siéntese, por favor.

Gracias.

A mí me gusta mucho Alberto. ¿A ti no te gusta su hermana?

Parece que duermes mal y te levantas muy cansado, ¿no?

¡Psa!

No, se la daré mañana.

¿Le has dado tu dirección a Juan?

Verbos reflexivos			Verbos con pronombre		
(yo)	me	levanto	(A mí)	me	
(tú)	te	levantas	(A ti)	te	
(él, ella, usted)	se	levanta	(A él, ella, usted)	le	gusta bailar, el sol
(nosotros/-as)	nos	levantamos	(A nosotros/-as)	nos	gustan los bombones
(vosotros/-as)	os	levantáis	(A vosotros/-as)	os	
(ellos/-as, ustedes)	se	levantan	(A ellos/-as, ustedes)	les	

	Objeto directo	Objeto indirecto
	me	me
	te	te
Pronombres personales	lo (le), la	le (se)
	nos	nos
	os	os
	los (les), las	les (se)

Uso

1 Los pronombres van delante del verbo, excepto cuando el verbo está en imperativo, gerundio o infinitivo:

- *Siéntese, por favor.*

- *Eloy, ¿qué haces?*
- *Estoy afeitándome.*

- *¿Quieres darme ese cuaderno, por favor?*

2 Recuerde que cuando hay dos pronombres (objeto directo e indirecto) se coloca primero el objeto indirecto:

- *¿Te han traído ya el vaso de agua?*
- *No, todavía no me lo han traído.*

3 Con verbos que necesitan dos objetos (directo e indirecto) se coloca el pronombre de objeto indirecto delante del verbo, aunque luego aparezca otra vez la persona o personas a que se refiere:

- *¿Le has dado a José Manuel tu dirección?*
- *No, se la daré mañana.*

1. Subraye la opción correcta.

1. Anoche Verónica se acostó pronto porque le dolía el estómago.
2. Milagros y Adrián *le/se* han divorciado.
3. A Andrés no *le/se* queda bien el pelo largo.
4. Los sábados por la tarde los Rodríguez no salen, *le/se* quedan en casa leyendo y oyendo música.
5. Ángel y Clara *le/se* casaron en diciembre.
6. A mi madre no *le/se* parece bien que la ex mujer de Santi venga a la boda.
7. • ¿Y tu marido?
   • *Le/Se* ha quedado abajo, con unos amigos.
8. El ganador del concurso *le/se* llevó seis mil euros y el coche.
9. • ¿A qué hora *le/se* acuestan tus hijos?
   • Muy pronto, a las nueve y media.
10. • ¿Qué *le/se* pasa a tu hermana?
    • Nada, es que está muy cansada.
11. Al final no *le/se* compró el abrigo a Carmen porque *le/se* parecía muy caro.
12. Jesús no *le/se* lleva bien con su hermano mayor.

Aciertos: .... de 12

2. Complete con el pronombre adecuado.

1. ¿Qué me has traído (a mí) del viaje?
2. ¿_____ acuerdas del reloj que _____ regalé a Carlos?, pues _____ ha vendido.
3. ¿Has probado este jamón?, prueba _____
4. ¿_____ has dicho a Ramón que no podemos ir a su boda?
5. A nosotros _____ encanta salir de noche.
6. Alfonso _____ llevó (a nosotros) a cenar a un sitio precioso.
7. ¿A qué _____ dedicáis?
8. El coche no _____ detuvo cuando la policía pasó.
9. ¿Vas al metro?, _____ acompaño.
10. ¿Quieres que _____ ayude?
11. Tengo muchas cosas que hacer y quiero terminar _____ pronto.
12. ¿Dónde has puesto el libro que _____ di?
13. _____ di dinero a Lorenzo para que _____ comprara unos pantalones nuevos.
14. No _____ he dado pasteles a los niños porque están castigados.
15. • Aquellos son los vecinos nuevos.
    • Ya _____ sé, ya _____ conozco.
16. ¿A vosotros _____ gustan los concursos de la televisión?
17. • ¿Conoces a mi hermana Paz?
    • Sí, el otro día _____ vi en la fiesta de Fernando.
18. ¿Sabes cuánto _____ ha costado a Antonio el coche?

Aciertos: .... de 16

3. Añada los pronombres a los verbos en imperativo.

1. *Niños, callaos.*
2. Juan, límpia _____ los dientes.
3. Ester, por favor, láva _____ las manos a los niños.
4. Álvaro, di _____ a tus amigos que vengan más tarde.
5. Carolina, el perro quiere salir, sáca _____, por favor.
6. Alberto, Dolores, levanta _____
7. Sr. Álamo, pónga _____ al teléfono, _____ llaman por la línea 3.
8. Marta, Lucas, decid _____ la verdad (a nosotros).
9. Nuria, déja _____ el diccionario a tu hermana.
10. Oye, da _____ las llaves a M.ª José.
11. Inés, estos libros, lléva _____ _____ de aquí, por favor.
12. Caperucita, ve a casa de la abuelita y lléva _____ esta tarta.
13. Toma, da _____ esto a tu padre.
14. Toma el agua y lléva _____ a la mesa. Aciertos: .... de 15

4. Complete las frases con uno de los verbos en la forma correcta.

acordarse separarse equivocarse **sentarse**
acercarse reírse llevarse bien encontrarse

1. *A algunos estudiantes no les gusta sentarse en la primera fila.*
2. Rosario se ha ido antes del trabajo porque no _____ bien.
3. • Pepe, ¿ _____ del día que nos conocimos?
   • Claro que sí, en la playa de Benidorm.
4. • ¿Sabes que Mara y Enrique _____?
   • No me extraña, no _____
5. El otro día, después de comer, (nosotros) _____ a casa de unos amigos de Francisco para saludarles.
6. La película fue muy divertida, el público _____ muchísimo.
7. • Oiga, ¿este no es el 912037856?
   • No, lo siento, _____ Aciertos: .... de 7

5. Siga el modelo.

1. *El niño necesita unos zapatos, ¿puedes comprárselos?*
2. Yo necesito las llaves del coche, ¿puedes dár _____?
3. Charo necesita el diccionario, ¿puedes dejár _____?
4. A Isabel le gustan tus pendientes, ¿puedes regalár _____?
5. Jorge necesita este dinero, ¿puedes llevár _____?
6. Jacobo quiere una raqueta de tenis, ¿puedes comprár _____?

Aciertos: .... de 5

TEMA 34   TOTAL **aciertos**: .... de 55

Tema 35

LOS INTERROGATIVOS

Interrogativos

Invariables	Qué	+	verbo / nombre
	Dónde	+	verbo
	Cuándo	+	verbo
	Cómo	+	verbo

Variables	Quién / Quiénes	+	verbo
	Cuál / Cuáles	+	verbo
	Cuánto, -a, -os, -as	+	verbo / nombre

1 Los interrogativos llevan siempre tilde. Pueden ser adjetivos, pronombres o adverbios:

- ¿**Qué** es esto?
- ¿**Qué** canción estás cantando?
- ¿**Dónde** vivís?
- ¿**Quién** viene?
- ¿**Cómo** estás?

2 Qué puede ir con un verbo o con un nombre:

- ¿**Qué** quieres, pan o arroz? = qué + verbo
- ¿**Qué** camisa quieres? = qué + nombre

3 Quién / Quiénes siempre se refiere a personas:

- ¿**Quién** es ese?
- Juan, el hermano de Asunción.
- ¿**Quiénes** son aquellos?
- Los primos de Daniel.

4 Cuál / Cuáles sirve para preguntar por varias opciones y nunca va seguido de un nombre.

- ¿**Cuál** te gusta más?

5 Cuánto/-a/-os/-as sirve para preguntar por una cantidad y acompaña al nombre y al verbo:

- ¿**Cuánto** vale esto? = cuánto + verbo

- ¿**Cuánta** azúcar le pongo?
- ¿**Cuántos** hijos tienes?
- ¿**Cuántas** galletas quieres? = cuánto + nombre
- ¿**Cuánto** dinero le doy?

6 Dónde es adverbio y pregunta por el lugar:

- ¿**Dónde** está mi bolígrafo?

7 Cuándo es adverbio y pregunta por el tiempo:

- ¿**Cuándo** vas a hacer los deberes?

8 Cómo es adverbio y pregunta por el modo:

- ¿**Cómo** quieres la tortilla?

9 Los interrogativos pueden llevar delante una preposición:

- ¿**A qué** hora nos vamos?
- ¿**Con quién** se casó Mercedes?
- ¿**Desde dónde** me llamas? (por teléfono)

1. Relacione cada pregunta con su respuesta.

1. ¿Cómo vienes a clase?
2. ¿De quién es este diccionario?
3. ¿Cuánto es?
4. ¿Por qué no me has llamado?
5. ¿Quién ha venido?
6. ¿Dónde están los niños?
7. ¿Para qué quieres mi coche?
8. ¿Desde dónde llamas?
9. ¿Por qué no has escrito a Mari?
10. ¿De qué trata la película?

a. Mi hermana Remedios.
b. Porque no tenía ganas.
c. Desde una cabina.
d. Andando.
e. De un asesinato.
f. Ochocientos setenta.
g. Porque no tenía tu número.
h. De Hans.
i. En casa de Isabel.
j. Para recoger a unos amigos del aeropuerto.

1 - d
2. _____
3. _____
4. _____
5. _____
6. _____
7. _____
8. _____
9. _____
10. _____

Aciertos: ………… de 9

2. Complete con *qué* y *quién*.

1. *¿Quién ha roto el cristal?*
2. ¿_____ no ha pagado el recibo?
3. ¿_____ te ha dicho el pediatra?
4. ¿_____ quieres comer?
5. ¿_____ esperáis?
6. ¿_____ vino ayer por la tarde?
7. ¿_____ ha hecho los deberes?
8. ¿_____ estáis escuchando?
9. ¿_____ vas a hacer?
10. ¿_____ mató a la chica?
11. ¿_____ me has comprado?
12. ¿_____ conduce el coche?

Aciertos: ………… de 11

3. Subraye la opción correcta.

1. ¡Qué casa tan bonita! ¿Cuál es tu habitación?
2. ¿Qué/Cuál es más caro, el pescado o la carne?
3. Aída tiene tres coches. ¿Qué/Cuál utiliza normalmente?
4. ¿Qué/Cuál es tu deporte favorito?
5. ¿De qué/cuál nacionalidad es Eliane?
6. ¿Qué/Cuál autobús está usted esperando?
7. ¿Qué/Cuál países vieron ellos el verano pasado?
8. ¿Qué/Cuál te has comprado, una falda o una blusa?
9. ¿Qué/Cuál programas de radio oyes?
10. ¿Qué/Cuál fue el último libro que leyó?

Aciertos: .... de 9

4. Complete con *dónde, quién, cuánto, cuándo.*

1. ¿*Dónde* has dejado el coche aparcado?
2. ¿_____ ha tocado mis papeles?
3. ¿_____ te debo?
4. ¿_____ se va Raquel a Toledo?
5. ¿_____ visteis esa película, aquí o en Barcelona?
6. ¿_____ quiere que pongamos el armario?
7. ¿_____ va a ir a recoger a José al aeropuerto, tú o Elena?
8. ¿_____ has recibido la carta de Maruja?
9. ¿_____ te pagaron por el coche viejo?
10. ¿_____ pensáis ir de luna de miel?

Aciertos: .... de 9

5. Siga el ejemplo.

1. *Este paraguas es de la directora.*
   • *¿De quién es este paraguas?*   • *De la directora.*
2. He visto a Reyes.
   • _____   • _____
3. Vivo con mis tíos.
   • _____   • _____
4. Este regalo es para Mariano.
   • _____   • _____
5. Llamé al recepcionista.
   • _____   • _____
6. Estaba hablando con el técnico.
   • _____   • _____
7. Hablamos de los vecinos nuevos.
   • _____   • _____

8. Estoy esperando a unos clientes.

- _____   • _____

9. Estamos viendo al Presidente.

- _____   • _____

10. Vamos a ir a cenar con unos amigos.

- _____   • _____

11. Estoy pensando en mi novio.

- _____   • _____

Aciertos: ....   de 10

6. Complete con *a, de, en* + *qué*.

1. *¿De qué color es tu coche?*
2. ¿_____ _____ número vive Virginia?
3. ¿_____ _____ hotel habéis estado?
4. ¿_____ _____ hora llega el tren de Cádiz?
5. ¿_____ _____ talla es tu cazadora?
6. ¿_____ _____ restaurante vamos a comer?
7. ¿_____ _____ autobús has venido?
8. ¿_____ _____ colegio van tus hijos?

Aciertos: ....   de 7

7. Siga el ejemplo.

1. *¿Tiene los ojos verdes, azules o marrones?*
   ¿De qué color tiene los ojos?
2. ¿Te levantaste a las 7, a las 7.30, a las 8.15?
   ¿_____?
3. ¿Tu novia tiene 20, 21 o 22 años?
   ¿_____?
4. ¿Tu vestido nuevo es verde, azul o negro?
   ¿_____?
5. ¿Tus vaqueros son de la talla 40, 42 o 44?
   ¿_____?
6. ¿Tú mides 1.70, 1.80 o 1.85?
   ¿_____?
7. ¿Te gustan los libros policíacos, de amor o filosóficos?
   ¿_____?
8. ¿Este llavero es de Ana, de Juan o de Luis?
   ¿_____?
9. ¿Esta obra de teatro es de Shakespeare, Valle-Inclán o de Ibsen?
   ¿_____?

Aciertos: ....   de 8

8. Formule preguntas para estas respuestas.

1. • *¿Cuántos años tienes?*
   • *Veintidós, ¿y tú?*
2. • ¿_____?
   • Sí, un niño y una niña.
3. • ¿_____?
   • Desde la playa.
4. • ¿_____?
   • ¿Esta tarde? Me parece que voy a ir a casa de Paula.
5. • ¿_____?
   • Nada, solo estoy un poco cansado.
6. • ¿_____?
   • Para recoger a unos amigos del aeropuerto.
7. • ¿_____?
   • El 918673154.
8. • ¿_____?
   • Es de mi primo.
9. • ¿_____?
   • No, no sé quién dices.
10. • ¿_____?
    • Me gusta más el té que el café.
11. • ¿_____?
    • He comido con mi padre.
12. • ¿_____?
    • Me da igual la hora.
13. • ¿_____?
    • Del dentista.
14. • ¿_____?
    • Me da igual el sitio.

Aciertos: .... de 13

9. Escriba siete preguntas utilizando en cada una un interrogativo diferente.

○ _____
○ _____
○ _____
○ _____
○ _____
○ _____
○ _____

TEMA 35   TOTAL aciertos: .... de 76

Tema 36

LOS ARTÍCULOS

Artículos

		Determinados		Indeterminados	
		Género		Género	
		Masc.	Fem.	Masc.	Fem.
Número	Singular	el	la	un	una
	Plural	los	las	unos	unas

• Recuerde el tema 15: el artículo el se contrae con las preposiciones a y de:

a + el = al
de + el = del

1 **Artículos determinados. Se usan:**

1. Cuando hablamos de algo que conocemos:
- *Hay que sacar **al** perro a pasear.*
- *Tráeme **el** libro que estoy leyendo, por favor.*

2. Con la hora:
- *Es **la** una y cuarto.*
- *El veterinario abre a **las** cinco.*

3. Con los días de la semana:
- ***El** sábado viene Pepe a comer.*

4. Delante de señor, señora, señorita, si se mencionan en tercera persona:
- ***El** señor Pérez tiene mucha experiencia.*
  Pero:
  ¡Señor Pérez, lo llaman al teléfono!

5. Cuando hablamos de cosas únicas:
- ***el** sol,*
- ***el** Papa,*
- ***el** rey de España.*

6. Con el verbo gustar:
- *No me gustan **las** frutas.*

7. Delante de palabras como río, mar, calle, plaza, sur, islas, etc.:
- ***Las** islas Canarias están en **el** océano Atlántico.*

2 **Artículos indeterminados. Se usan:**

1. Cuando mencionamos algo por primera vez:
- *He adoptado **un** perro.*
- *Tengo **un** libro de arte precioso.*

2. Con el verbo haber:
- *¿Dónde hay **un** bolígrafo?*

3. Con nombres de profesión:
- *Conozco a **un** electricista buenísimo.*

3 **No se usa artículo:**

1. Con los nombres de profesión si van detrás del verbo ser:
- *Mario es periodista.*
- *Rafael es modisto.*

2. Con muchos nombres en función de objeto directo, especialmente si no queremos indicar una cantidad concreta:
- *Yo no tengo hijos.*
- *Dame azúcar, por favor.*
- *No hay comida para todos.*
- *¿Compro sillas nuevas?*

1. Escriba algunas frases con el verbo *gustar* y estos sujetos gramaticales.

1. *(animales)* A mí me gustan mucho los animales.

o

A mí no me gustan (nada) los animales.

2. (bailes tradicionales)

_____

3. (escuchar música *disco*)

_____

4. (queso francés)

_____

5. (leche desnatada)

_____

6. (tomar el sol)

_____

7. (plantas tropicales)

_____

8. (idiomas)

_____

Aciertos: ....   de 7

2. Complete con el artículo determiando correcto si es necesario.

1. *Las patatas están caras.*
2. *Todo el mundo necesita* _____ *amigos.*
3. ¿Aquí venden _____ churros?
4. Borja, ¿dónde está _____ mantequilla?
5. A Constancio no le gusta nada comer _____ verduras.
6. _____ verduras son muy buenas para la salud.
7. Si sales, ¿puedes comprar _____ sal?
8. Julián, ¿puedes pasarme _____ sal, por favor?
9. Voy a enseñarte _____ libros que he comprado.
10. ¿Aquí venden _____ libros de arte?
11. Yo prefiero _____ calor a _____ frío.
12. _____ vida no es posible sin agua.
13. Mis deportes favoritos son _____ fútbol y _____ ciclismo.
14. ¿Tú crees que _____ Matemáticas son difíciles?
15. Elisa estudia _____ Matemáticas en la Universidad de La Laguna.
16. _____ chino es el idioma más hablado del mundo.
17. ¿A tus hijos no les gusta _____ música clásica?
18. Paco, ¿dónde hay _____ harina para la tarta?
19. Felisa llegó de su viaje _____ sábado por la tarde.
20. En Málaga, _____ clima es estupendo.
21. Lo siento, no hay _____ calamares a la romana.

22. Emilio, _____ señora Martínez quiere _____ plátanos maduros.
23. Ayer vino a verme a mi despacho _____ señor López.
24. Buenos días, estoy buscando a _____ secretaria del director.
25. Mi sobrino termina de trabajar a _____ 6 de _____ tarde.
26. _____ Sra. García, pase una llamada a _____ Sra. Díez.

Aciertos: .... de 30

3. Diga si las frases siguientes son correctas o no. Si no lo son, corríjalas.

> *1. El Museo del Prado está en Madrid.*   *Bien*
> *2. La capital de Egipto es Cairo. Mal: El Cairo*
> 3. El río Sena pasa por París.
>
> _____
>
> 4. Mis padres viven en calle de Sto. Tomás.
>
> _____
>
> 5. Llegamos a aeropuerto de Orly a las 3.
>
> _____
>
> 6. El autobús para Galicia sale de la estación Sur.
>
> _____
>
> 7. Cuando voy a Londres, siempre voy al Hotel Cerland.
>
> _____
>
> 8. A mí me gusta mucho Teatro de la Ópera.
>
> _____
>
> 9. Alfredo es profesor en Universidad Complutense.
>
> _____
>
> 10. Ayer tuve que ir a Correos a enviar un paquete a Manila.
>
> _____
>
> 11. ¿Este autobús va a la Plaza Mayor?
>
> _____
>
> 12. Andalucía está en sur de España.
>
> _____

Aciertos: .... de 10

4. Complete con el artículo determinado. Recuerde: **al** y **del**.

> *1. Alejandro va al gimnasio todos los días.*
> 2. Estos zapatos son de _____ niño.
> 3. El estanco está a _____ lado de _____ iglesia.
> 4. Tus libros de Arte están encima de _____ mesa.
> 5. • ¿De dónde vienes?
>   • De _____ cine.
> 6. Normalmente, jugamos a _____ tenis todos _____ fines de semana y, a
>   _____ ajedrez, _____ lunes y miércoles.

7. ¿Cómo vas a _____ trabajo?
8. • ¿Los lavabos, por favor?
   • A _____ fondo del pasillo, a _____ izquierda.
9. Portugal está a _____ oeste de España.
10. _____ última película de _____ actor Luis Olmo ha sido premiada en _____ Festival de cine de San Sebastián.
11. Hoy tengo que ir a _____ banco.
12. Pon tu nombre a _____ final de _____ carta.

Aciertos: .... de 19

5. Complete con el artículo indeterminado, si es posible.

1. *He comprado unas manzanas, ... chocolate y una barra de pan.*
2. He comprado _____ pasta de dientes, _____ colonia y _____ pañuelos de papel.
3. He comprado _____ postales, _____ sellos y _____ bolígrafo.
4. He comprado _____ revista de modas, _____ libro y _____ folios.

Aciertos: .... de 9

6. Complete con el artículo indeterminado, si es necesario.

1. *Juan nunca lleva guantes.*
2. Mis hijos siempre toman _____ leche por la mañana.
3. Algunas personas creen que nunca cometen _____ errores.
4. ¿Quieres _____ café?
5. Buenos días, ¿tienen _____ pescado fresco?
6. ¿Vas al trabajo en _____ coche?
7. ¿Estás buscando _____ trabajo?
8. • ¿Qué hiciste ayer?
   • Vi _____ película de vídeo, escribí _____ cartas y estuve escuchando _____ música.
9. • ¿Tienes _____ zumo?
   • Sí, en el frigorífico hay _____ de litro.
10. He visto _____ pantalones rebajadísimos en _____ tienda que hay cerca de aquí.
11. ¿Has comprado _____ jabón para lavar ropa de color?
12. Estoy buscando _____ trabajo para mi hijo mayor.
13. Sergio López es _____ actor.
14. Sergio Sanz es _____ cantante famoso.
15. Creo que necesitan _____ secretaria que sepa ruso.
16. Mi cuñado es _____ carpintero.
17. El director conoce a _____ carpintero que trabaja muy bien.
18. ¿Tienen _____ gambas a la plancha?
19. ¿Tienes _____ dinero?
20. En aquel chalé vive _____ cirujano muy prestigioso.

21. He visto _____ muebles para el comedor preciosos.
22. Aquí no tienen _____ muebles de comedor.

Aciertos: .... de 25

7. Subraye la opción correcta.

1. *La novia de Paco es una chica encantadora.*
2. París es *la / una* capital de Francia.
3. Yo tengo *un / el* amigo que trabaja en un hospital.
4. ¿Cuál es *una / la* ciudad más grande de Canadá?
5. ¿Puedes quitar *una / la* televisión, por favor?
6. Estoy agotada. Necesito urgentemente *unas / las* vacaciones.
7. Máximo está haciendo *un / el* trabajo muy importante para su jefe.
8. Nosotros vivimos en *una / la* casa que está cerca de Madrid.
9. ¿Sabes que han abierto *el / un* restaurante nuevo en la Plaza Mayor?
10. El domingo vendrán *unos / los* amigos míos a comer.
11. No te sientes en *un / el* suelo, está muy frío.
12. Cuando vamos a Roma siempre vamos a *un / el* hotel pequeño.
13. Ayer mi hijo hizo *una / la* comida buenísima.
14. Isabel se compró *unos / los* zapatos de piel para la boda.
15. Diego está en *la / una* cocina, está haciendo *la / una* cena.

Aciertos: .... de 15

8. Relacione.

	tableta		agua
	hoja		pastel
	botella		leche
Un / Una	vaso	**de**	folios
	barra		mermelada
	trozo		chocolate
	paquete		papel
	bote		pan

1. *Una tableta de chocolate.*

_____

_____

_____

_____

_____

_____

Aciertos: .... de 7

notas

notas

notas

notas